A+ Chinese

汉语 A+ 下 III

GCSE Revision Book

Carol Chen 陈琦

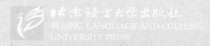
北京语言大学出版社
BEIJING LANGUAGE AND CULTURE
UNIVERSITY PRESS

MW00607757

PREFACE

A⁺ Chinese is a two-volume set designed for Chinese learners in secondary schools. Its target readers are candidates of GCSE/ IGCSE, IB, SAT and Australian Mandarin Exams who have approximately two years of Chinese learning experience and a mastery of about 400～500 Chinese words.

The set includes two volumes with 27 lessons in all. The lessons explore topics from various aspects of daily life such as clothing, food, housing and transportation. The essential vocabulary has been chosen based on the basic and most commonly used words in a variety of official exams. In addition, the author has included topics involving school life, youth culture, traditional Chinese culture as well as the latest trends in order to generate interest from students and increase their understanding of Chinese culture.

All the exercises are designed to improve the four language skills: listening, speaking, reading and writing to ensure a balanced development. In addition, the author has taken note of the requirements of GCSE/ IGCSE, IB, SAT, Australian Mandarin Exams in order to provide the most suitable and relevant material for examination preparation.

Students can use the available vocabulary list to test themselves and check their answers using the answer booklets or with answers provided by the teacher. They can then review those words with which they are unfamiliar. All of the exercises found in the reading comprehension sections of each volume can be used just as easily in the form of a classroom textbook as if it were a self-study tool. The diverse exercises available in the writing sections help students develop and test their writing skills at different levels of study. In the classroom setting, the oral tasks and listening tasks can be used as the alternatives for or used in conjunction with reading and writing activities. When the students are studying the volumes at home, they can self-check their answers to most exercises with the help of the corresponding answer booklet. The answer booklet, along with a CD of recordings of all the exercises are included in the set in order to provide students with a comprehensive guide through all of the exercises whether they are in the classroom or studying on their own.

The author has received generous help and encouragement from her husband Jinghzhi Zhang. The author also specifically thanks her children Tianli and Amanda Zhang who provided fascinating stories that contributed greatly to this project. Moreover, the author would like to express her appreciation for the assistance from her family friend, Mr. E.G.D. Thomas, who took time out of his busy schedule in order to proofread the English portion of these books. Finally, the author would like to express her gratitude to her colleagues and students at Island School and West Island School who offered their valuable advice on the draft version of the set and enabled its constant improvement.

Carol Chen

Hong Kong

January 2008

前言

《汉语A⁺》是中学汉语教材，适用于学过两年汉语，掌握了400-500词，准备参加GCSE/IGCSE、IB、SAT 和 Australian Mandarin Exams等汉语考试的学生。

本书分为上、下两册，按话题分为27课。这些话题涵盖了衣、食、住、行等生活和学习的各个方面。在每一课中，作者都将该话题中相关的词汇罗列出来，这些词语是从多种考试官方词汇表中挑选出来的最基本、最常用的词汇。另外，在各种练习中还加入了校园生活、最新时尚、青少年的各种课外活动以及中国传统文化等元素，可增加学生学习汉语的兴趣，加深学生对中国文化的了解。

书中的练习都是按照听、说、读、写编排的，旨在使学生的汉语水平得到平衡的发展。同时，在编写练习的过程中，参考了GCSE/IGCSE、IB、SAT、Australian Mandarin Exams等多种考试要求及题型，为学生提供最丰富的备考资料，熟练地掌握各种题型，提升考试技巧。

学生可使用常用字词表，进行自我测验，对照答案进行自我批改或教师统一给答案，学生可有针对性地练习不熟悉的生词。阅读理解部分也可作为精读教材，在课堂上使用。写作部分有各种题型，教师可根据学生水平，对学生进行写作训练。在课堂上，口语和听力可根据教师的需要，穿插在阅读和写作之间进行。在学生自学时，可根据答案进行自我检测。此外，随书附赠参考答案册以及所有听力练习的录音CD。

在本书的编写过程中，我得到了西岛学校和港岛学校很多老师的帮助和鼓励，他们都是作者长期的良师益友。其次，我还要向我们全家的朋友Thomas先生表示感谢，他在百忙中仔细审阅了全部书稿中的英文部分，更正了其中的错误和遗漏。另外，我还要感谢我的先生张景智的支持和鼓励；感谢我的儿子张天力、女儿张曼彤，他们在本书的编写过程中提供了很多精彩的素材。最后，我要感谢我在香港西岛学校和港岛学校的学生。这些可爱的小朋友们在做练习时，也发现了书稿中的一些错误，使作者有机会在本书出版前将错误改正。

陈 琦

2008年1月于香港

CONTENTS

八 天气、旅行和假日
Weather, Travel and Holiday

第十四课　天气和气候
Weather and Climate

Useful Words

1. 天气　tiānqì
2. 气候　qìhòu
3. 季节　jìjié
4. 春　chūn
5. 夏　xià
6. 秋　qiū
7. 冬　dōng
8. 冷　lěng
9. 热　rè
10. 寒冷　hánlěng
11. 炎热　yánrè
12. 凉快　liángkuai
13. 暖和　nuǎnhuo
14. 晴天　qíngtiān
15. 阴天　yīntiān
16. 多云　duōyún
17. 下雨　xià yǔ
18. 毛毛雨　máomaoyǔ
19. 刮风　guā fēng
20. 下雪　xià xuě

21. 暴风雨　bàofēngyǔ
22. 沙尘暴　shāchénbào
23. 打雷　dǎléi
24. 闪电　shǎndiàn
25. 雾　wù
26. 转　zhuǎn
27. 天气预报　tiānqì yùbào
28. 天文台　tiānwéntái
29. 气温　qìwēn
30. 度　dù
31. 零下　língxià
32. 摄氏　shèshì
33. 潮湿　cháoshī
34. 干燥　gānzào
35. 低　dī
36. 本地　běndì
37. 地区　dìqū

一、判断正误　True or false

上海今天晴转多云，气温十二到十八度。明天有小雨。这个周末天气会转冷。

南京今天多云，有雾，上午的能见度只有十五米。气温十到十六度。明天转晴。

大连今天有大风雪，气温零下五到十度。明后两天多云，小雪。周末转晴，气温将回升到零度左右。

香港今天下大雨，多处发大水，气温二十到二十五度。明后两天仍然有雨。

广州今天有狂风雷暴，最高气温二十五度左右，最低气温二十度。明天有雨，周末转多云。

1 上海今天阴天，最高温度二十八度。

2 南京今天雾很大，开车的人要小心。

3 大连现在是冬天。

4 香港今天下大雨，各个地方都发大水。

5 广州周末仍然有雨。

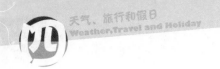

二、填空　Fill in the blanks with the words in the box

今天早上起床，我看到＿＿＿＿白白的，下雪了！树上、房子上都是雪。我开心地跑出去，外面＿＿＿＿，还下着＿＿＿＿。我把妹妹叫来，我们一起＿＿＿＿了一个大雪人。我用 葡萄 做雪人的眼睛，胡萝卜 做雪人的＿＿＿＿，又大又尖的帽子是用＿＿＿＿做的。

NOTES
葡萄　pútao　grape
胡萝卜　húluóbo　carrot

| ❶ 不冷 | ❷ 鼻子 | ❸ 堆 | ❹ 雪 | ❺ 报纸 | ❻ 窗外 |

三、填空　Fill in the blanks with the words in the box

北京＿＿＿＿有四季。北京的春天是三月到五月，夏天是六月到八月，秋天是九月到十一月，冬天是十二月到第二年的二月。农历＿＿＿＿过后，北京天气＿＿＿＿转暖，春天也就来了。北京的春天晴天多、阴天少，不常下雨，但＿＿＿＿刮风。北京的夏天天气＿＿＿＿而且干燥，最高＿＿＿＿可以到三十七摄氏度。北京秋天的＿＿＿＿最好，是旅游的好＿＿＿＿，气温一般在十到二十五度之间。北京冬天很冷，最低气温在零下十度左右，有时会＿＿＿＿，经常刮＿＿＿＿风。

| ❶ 经常 | ❷ 西北 | ❸ 下雪 | ❹ 炎热 | ❺ 开始 |
| ❻ 季节 | ❼ 新年 | ❽ 气温 | ❾ 天气 | ❿ 一年 |

四、回答问题　Answer the questions in Chinese

我喜欢这个书

小明：

你好！

知道你打算来香港旅游，我很高兴，向你介绍一下香港的天气吧。

chao shi wet.

香港的春天多雨潮湿，还经常有雾，气温通常在十五到二十四度之间。香港的夏天常常是晴天，但天气很热，一般在三十度上下。秋天天气很好，不冷也不热，气温一般在二十五度左右。香港的冬天一点儿也不冷，气温在二十度左右。

在香港，人们一年四季都穿汗衫和牛仔裤。冬天冷的时候会在外面加上毛衣和外套。人们全年喜欢打球和跑步；冬、秋两季，爬山是人们最喜欢的运动；夏天人们喜欢去海边游泳和晒太阳。

我最喜欢冬天，因为天气真的很舒服。好，今天就写到这里。

祝

好！

shai tai yang sun tan.

林青

10月8日

1. 如果你想做些水上运动，你应该哪一个季节去香港？

2. 冬季人们一般做哪些运动？

3. 春天的天气怎样？

4. 冬天人们一般穿什么衣服？

5. 作者喜欢冬天的原因是什么？

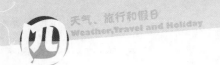
五、配对　Match the sentences on the left to the ones on the right

A

1. 今天伦敦的天气怎么样？
2. 妈妈，我去跟同学玩儿。
3. 北京冬天的天气怎么样？
4. 我今年夏天打算去香港旅游。
5. 这几天天气真够热的。
6. 纽约这个周末天气怎么样？
7. 今天刮八号台风。

B

a. 你得多带些汗衫、短裤。
b. 是啊，昨天气温有三十七度。
c. 太好了，不用上学了。
d. 记住穿上外套，外边挺冷的。
e. 早上有雾，下午转晴。
f. 很冷，常刮风，气温一般在零下。
g. 我还没有看天气预报呢。

六、回答问题　Answer the questions in English

美国加州（California）在本周内经历了夏、冬两季。周一还是夏天，阳光普照，气温三十一度。第二天气温突然下降到零下三度，有的地方还下了雪。很多加州居民很开心，因为可以看到不多见的雪景。但是加州的农民却很担心，因为寒冷的天气会冻坏树上的牛油果和橙。他们生火、开暖风机、浇热水来保护农作物。大雪还造成多处停电，机场关闭。

NOTES

下降	xiàjiàng	to drop
担心	dānxīn	to worry
牛油果	niúyóuguǒ	avocado
农作物	nóngzuòwù	crops

yang guang pu zhao. radiation of sunlight.
tu ran suddenly
dong huar frozen death.

1. How many degrees did the temperature drop from Monday to Tuesday?

2. Why were the residents in California so happy about it?

3. Why were the farmers so worried about it?

4. What did the farmers do?

5. What were the other consequences of the heavy snow?

七、判断正误　True or false

上周三，伦敦的气温达到36.5摄氏度，打破了1911年以来七月份的最高温度。这天也是英国今年以来气温最高的一天。高温天气使得不少学校停课。很多老人因为高温天气而感到不舒服，被送往医院。动物园的工作人员也为动物们准备冰块儿，随时为它们降温。

1　上周三是1911年以来伦敦最热的一天。☐

2　很多学生因为高温不舒服而不用上学。☐

3　很多老人因为高温而感到不舒服。☐

4　动物园的工作人员喝冰水。☐

NOTES
冰块（儿）bīngkuàir　ice cube
随时　suíshí　at any time

1. 今天是几月几号? 星期几?
2. 这个月一共有几天?
3. 明年是哪一年?
4. 今年暑假从几月几号开始?
5. 今天的天气怎么样?
6. 今天的气温多少度?
7. 你看过明天的天气预报了吗?
8. 你居住的地区冬天/夏天/春天/秋天的天气怎么样?
9. 你最喜欢哪一个季节?
10. 在你居住的地区,什么样的天气不用上课?

一、填空　Fill in the blanks in Chinese

1. 春天的天气像小孩子的脸,变化很大,一会儿是_____,一会儿是_____,一会儿又开始_____。

2. 一年有四季,它们是_____、_____、_____、_____。

二、翻译　Translation

1. It is sunny today.

_____

2. The temperature is between 0 to 5 degrees.

_____

3. Did you watch the weather forecast on TV today?

_____

4. It is cold during winter in Beijing.

_____

5. It was very foggy this morning.

_____

三、写一下今、明两天的天气预报
Write the weather forecast for today and tomorrow

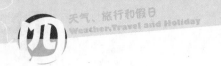
四、写一封信给你的笔友，介绍你所居住地区的天气，包括：
Write a letter to your pen pal about the weather in your local area.
You should include:

一年四季的天气

不同的季节穿什么衣服，适合做什么运动？

你最喜欢哪个季节，为什么？

五、续写　Continuous writing

今天早上电视里说，我们家附近会有龙卷风(tornado)

一、填空 Fill in the blanks in Chinese

今天白天北京大部分地区＿＿＿＿＿，气温在＿＿＿＿＿左右，刮＿＿＿＿＿。今天晚间气温开始下降，明早最低温度可达＿＿＿＿＿，请＿＿＿＿＿人士多穿衣服，注意保暖。

二、问答问题 Answer the questions in English

1. When did it start to become windy?

2. How did the author know that it was Typhoon No.8?

3. What do people not need to do when it is Typhoon No.8?

4. Give an example that shows how windy it was.

第十五课 交通
Transportation

Useful Words

1. 坐／乘　zuò／chéng
2. 骑　qí
3. 交通　jiāotōng
4. 地铁　dìtiě
5. 自行车　zìxíngchē
6. 单车　dānchē
7. 公共汽车
　　gōnggòng qìchē
8. 小巴　xiǎobā
9. 出租车　chūzūchē
10. 的士　díshì
11. 船　chuán
12. 火车　huǒchē
13. 飞机　fēijī
14. 电车　diànchē
15. 校车　xiàochē
16. 火车站
　　huǒchē zhàn
17. 机场　jīchǎng
18. 码头　mǎtou
19. 候车室
　　hòuchē shì
20. 候机室
　　hòujī shì

21. 方便　fāngbiàn
22. 快　kuài
23. 慢　màn
24. 远　yuǎn
25. 近　jìn
26. 离　lí
27. 从……到　cóng……dào
28. 晚点　wǎndiǎn
29. 延迟　yánchí
30. 加油站　jiāyóu zhàn
31. 单程票　dānchéng piào
32. 双程票　shuāngchéng piào
33. 安全　ānquán
34. 意外　yìwài
35. 交通灯　jiāotōngdēng
36. 红绿灯　hónglǜdēng
37. 人行道　rénxíngdào
38. 人行横道
　　rénxíng héngdào
39. 十字路口　shízì lùkǒu
40. 丁字路口　dīngzì lùkǒu
41. 桥　qiáo
42. 不许　bùxǔ
43. 禁止　jìnzhǐ

一、配对　Match the instructions on the left to the signs on the right

1. 禁止超车　　　　　　a.

2. 公交线路　　　　　　b.

3. 向左转弯　　　　　　c.

4. 此路不通　　　　　　d.

5. 步行　　　　　　　　e.

6. 不准停车　　　　　　f.

7. 单行路（直行）　　　g.

8. 禁止直行　　　　　　h.

9. 双向交通　　　　　　i.

10. 注意儿童　　　　　　j.

11. 人行横道　　　　　　k.

二、填空　Fill in the blanks with the words in the box

王先生：请问，去北京的飞机几点 _____？

售票员：今晚六点半。

王先生：有没有早一点儿的？

售票员：早一班的飞机已经没有 _____ 了。

王先生：我有事儿，必须在晚上七点前 _____ 北京。您看还有什么其他 _____？

售票员：您可以 _____ 今天中午去天津的飞机，_____ 坐一个小时的火车就可以到北京了。

| ❶到达 | ❷位子 | ❸乘坐 | ❹办法 | ❺然后 | ❻起飞 |

三、回答问题　Answer the questions in English

格林（Green）先生在香港做律师，可是他的家在新西兰。他每个星期总要从新西兰飞到香港上班。因为他觉得香港的空气不好，他的孩子总是生病。另外，香港的住房很贵，环境也不如新西兰好。还有，香港国际学校的学费很贵，如果格林先生的四个孩子在香港上国际学校，学费会花掉格林先生一半的工资。因此格林先生决定把家安在新西兰，到星期天他就坐飞机回香港。

1. What is Mr. Green's job?

2. How does he go to work?

3. Name three reasons why the Green family moved to New Zealand.

四、回答问题　Answer the questions in Chinese

　　"Taxi"在中国内地叫"出租车"，这种交通工具在各大城市非常受欢迎，方便又便宜。出租车司机还很热情，他们喜欢告诉乘客当地的风土人情，有的还会说两句英语。"Taxi"在其他华语地区有不同的叫法，比如在台湾地区叫"计程车"，在新加坡叫"德士"，在香港地区和澳门地区叫"的士"。其中"的士"的叫法在中国内地也越来越流行，坐出租车叫"打的"，出租车司机被叫做"的哥"或"的姐"。

NOTES

| 华语 | Huáyǔ | Chinese language |
| 流行 | liúxíng | popular |

1. 出租车为什么在中国内地受欢迎？

2. 司机除了开车，还会为乘客做些什么？

3. "出租车"在其他华语地区的叫法是不是都一样？

4. 什么是"打的"？

五、多项选择　*Multiple choice*

发生意外的时候，我正坐在巴士的前排。车开到青山公路口的时候，人行横道上还是红灯。忽然，有一个十一二岁的小男孩儿过马路，他戴着耳机，没有看交通灯。司机马上停车。然后我就听到后面一声巨响。我回头看去，有一辆红色出租车停在我们的车后面，门和窗都坏了。我往前看，小男孩儿躺在路边，好像受伤了。

1.发生交通意外的时候，巴士_____。

　❶已经开过青山公路口　　❷已经离开青公山路口

　❸还没开到青山公路口　　❹刚开到青山公路口

2.以下哪个不是小男孩儿发生意外的原因？

　❶他正在听音乐　　　　❷绿灯亮了

　❸他戴着耳机　　　　　❹他没看交通灯

3.见到小男孩儿，司机_____。

　❶立刻停车　　　　　　❷没有停车

　❸开慢车　　　　　　　❹把车停在路边

4.后面的出租车_____。

　❶撞到了小男孩儿　　　❷停在巴士的后边

　❸着火了　　　　　　　❹开走了

六、回答问题 Answer the questions in English

我爷爷小的时候走路去上学，每天邻居家的小孩儿五六个一起上学，还带着家里的狗，一路上打打闹闹，一会儿就到了学校。我爸爸小时候骑自行车上学，车后面带着他的弟弟，有时候车前面还可以带一个好朋友。那时，马路上的汽车不多，爸爸还经常在回家的路上进行自行车大赛。我坐校车上学，因为妈妈说校车又快又安全。一上车，我就睡着了。比起以前，现在上学是方便了，可是也不好玩儿了。

1. How did the author's Grandpa go to school? What did they do on the way to school?

2. How did the author's Dad go to school? What did they do on the way back home?

3. What does the author do on the way to school?

4. What is his comment about the school bus?

七、回答问题　**Answer the questions in Chinese**

NOTES

结冰　jié bīng　to freeze
路滑　lù huá　slippery road
留意　liúyì　to pay attention to
热线　rèxiàn　hot line

❀ 因为昨天晚上下雪，今晨路面结冰。

　　请开车人士小心路滑，尽量开慢车。

❀ 因为本市今晨大雾，所有来往我市的飞机全部停飞。

　　请有关人士留意新闻报道或打机场热线。

❀ 因为地铁金钟线发生意外，请乘客换乘其他交通工具。

❓1. 如果你今天要去机场接人，你应该怎么办？

❓2. 如果你每天早上坐金钟线地铁上班，你应该怎么办？

❓3. 如果你每天开车去上班，你应该怎么办？

口语 Oral

1. 你每天怎么上学？
2. 你父母每天怎么上班？
3. 你家附近的交通方便吗？有哪些交通工具？
4. 从你家去机场，需要坐哪些交通工具？
5. 你喜欢坐火车旅行吗？为什么？
6. 现在很多城市还留有电车，电车的好处有哪些？
7. 很多国家希望人们坐公共交通工具去上班，为什么？
8. 现在很多人骑自行车上班，这有什么不方便的地方？

一、翻译 Translation

1. There is a bus station near my home.

2. A train is faster than a car.

3. Can I buy a return ticket?

4. I take the ferry to school everyday.

5. My Dad drives to work.

二、写一写你的自行车，包括：
Describe your bicycle. You should include:

谁买的？

什么时候买的？

你经常什么时候骑自行车？

骑车有什么好处？

三、续写　Continuous writing

今年早上七点，我的校车还没有到

....

....

....

....

....

一、回答问题　Answer the questions in Chinese

1. D12次火车还有多长时间进站？

2. 旅客应该在哪个月台等车？

3. D12次是去哪儿的火车？

二、填空　Fill in the blanks in Chinese

_____港龙航空公司_____次航班前往_____的乘客请注意：由于当地正在下_____，因而飞机_____延迟起飞时间。我们会_____您新的起飞_____。

第十六课　旅游 Travel

常用字词
Useful Words

1. 旅行	lǚxíng	23. 优美	yōuměi
2. 旅游	lǚyóu	24. 秀丽	xiùlì
3. 游览	yóulǎn	25. 门票	ménpiào
4. 参观	cānguān	26. 愉快	yúkuài
5. 探亲	tànqīn	27. 行李	xíngli
6. 走亲访友	zǒu qīn fǎng yǒu	28. 旅行袋	lǚxíngdài
7. 环游世界	huányóu shìjiè	29. 失物招领处	shīwù zhāolǐng chù
8. 签证	qiānzhèng	30. 伦敦	Lúndūn
9. 护照	hùzhào	31. 大笨钟	Dàbènzhōng
10. 外币	wàibì	32. 白金汉宫	Báijīnhàn Gōng
11. 找换	zhǎo huàn	33. 城堡	chéngbǎo
12. 旅行团	lǚxíngtuán	34. 巴黎	Bālí
13. 导游	dǎoyóu	35. 纽约	Niǔyuē
14. 出发	chūfā	36. 东京	Dōngjīng
15. 到达	dàodá	37. 台北	Táiběi
16. 待	dāi	38. 西安	Xī'ān
17. 离开	líkāi	39. 天安门广场	Tiān'ān Mén Guǎngchǎng
18. 目的地	mùdìdì	40. 长城	Chángchéng
19. 集合	jíhé	41. 故宫	Gùgōng
20. 地图	dìtú	42. 北海	Běihǎi
21. 景点	jǐngdiǎn		
22. 风景	fēngjǐng		

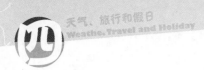

一、配对　　Match the words on the left to the definitions on the right

　　"香格里拉(Shangri-La)"一词，是1933年美国小说家詹姆斯·希尔顿（James Hilton）在小说《失去的地平线》（*Lost Horizon*）中所写的一片人间乐土。那里有雪山、神庙、森林、湖泊、美丽的大草原及牛羊。当地的居民非常善良，过着自由自在的生活。香格里拉是人们向往的地方，是心中的理想国度。现在很多人认为，云南、四川、西藏交界的藏区为作者笔下的香格里拉，书中提到的东西在这里都能够找到。香格里拉在当地的语言里意为"心中的日月"，是英文"Shangri-La"的汉语音译，英语发音也来自当地的语言。

NOTES

善良	shànliáng	kind
西藏	Xīzàng	Tibet
交界	jiāojiè	to have a common boundary
音译	yīnyì	transliteration
发音	fāyīn	pronunciation

A

1.乐土

2.向往

3.理想

4.失去

5.自由自在

B

a.向前走

b.找不到

c.对将来事物产生的希望

d.因为喜欢而想得到的

e.想法

f.开心的地方

g.想做什么就做什么

二、判断正误 True or false

今天是我和朋友们旅行的第二天，晚上，我们在小河边上露营。正要睡觉的时候，有人发现不远的地方有一双绿绿的眼睛，一定是狼或野狗。大家都很怕，记得以前听人说狼怕火，有人急忙拿出手电，也有人用纸生起火来。虽然有点儿怕，但是大家开始一起唱歌，歌唱了一首又一首，有人还找到了一些石头。一个小时过去了，绿眼睛不见了。可是大家都睡不着，静静地看着天上几颗亮亮的星星，听着林中的风声，这种感受是在城市中无法得到的。

NOTES

狼	láng	wolf
野狗	yě gǒu	wild dog
手电	shǒudiàn	electric torch
石头	shítou	stone

1. 天黑的时候我们看到一条狼或野狗。 ☒
2. 狼或野狗被我们用石头打跑了。 ☒
3. 绿眼睛不见了，大家都开心地唱起歌来。 ☒
4. 狼或野狗一走，大家就睡着了。 ☒
5. 露营可以使人们更加接近大自然。 ☑

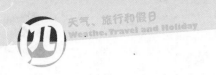
三、回答问题　**Answer the questions in English**

日本九州雾岛（Kirishima）是一个著名的风景区，一年四季各有特色。春天，田野里到处是油菜花儿，一片金黄色，很多摄影爱好者喜欢来这里取景；夏天，天气清凉，可以去爬山，也可以在林间洗温泉；秋天，满山红叶，美极了；而冬天由于雾岛的火山区地处高原，有机会看到树冰的景色。因此一年里雾岛的游人总是那么多。

NOTES

特色	tèsè	characteristics
油菜花（儿）	yóucài huār	
		oilseed rape flower
清凉	qīngliáng	cool
温泉	wēnquán	hot spring

1. What can you see in Kirishima during spring?

_____

2. Name two things you can do in Kirishima during summer.

_____

3. What can you see in Kirishima during autumn?

_____

4. What can you see in Kirishima during winter?

_____

四、判断正误　True or false

最贵的旅游应该是太空游了，大约需要二千五百万美元。首先，游客可以从太空上看人类的家园——地球，五颜六色的地球看上去非常美丽。另外，由于飞船飞得快，在飞船上九十分钟就可以经历地球上的白天和黑夜。还有，游客可以在太空船里飞来飞去，还可以拿起很重的东西。这些都是地球上感受不到的。随着科技的发展，太空游会变得越来越便宜，到时普通人也可以上太空玩儿一玩儿。

NOTES

太空　tàikōng　(outer) space
地球　dìqiú　earth
飞船　fēichuán　spaceship

1 游太空需要 25 000 000 美元。☐
2 太空是人类的家园。☐
3 在太空中 90 分钟可以经历地球上的 24 小时。☐
4 游客可以在太空里飞来飞去。☐

五、填空　Fill in the blanks with the words in the box

王先生要去北京出差，打电话给旅行社李小姐订酒店。

王先生：您好！我想订 _____ 的酒店。

李小姐：请问，您想订 _____ 的还是郊外的？对酒店的
_____ 有没有要求？

王先生：我想订市中心四星级的酒店。

李小姐：您什么时候 _____ ？在北京住几天？

王先生：我后天到北京，在北京住三个晚上。

李小姐：您看北京假日酒店怎么样？这家酒店位于市中心，而
　　　　且这个月有＿＿＿＿＿，单人房每晚只要四百五十元。

王先生：＿＿＿＿＿，就订这间吧。

❶ 入住　❷ 好的　❸ 市中心　❹ 北京　❺ 特价　❻ 级别

六、回答问题　Answer the questions in Chinese

尊敬的天地大酒店总经理：

　　您好！

　　我是1065房间的客人，两天前入住天地大酒店。这两天在
你们酒店的经历使我很不开心，不得不给您写这封信。

- 洗澡水一会儿热，一会儿冷。
- 房间的温度不合适，又不可以自己调温度。结果睡觉的
  时候盖被子热，不盖被子冷。
- 电视节目太少，只有三四个电视台可以看。
- 房间里不可以上网。
- 晚上十二点后，客房外还有人大声说话、唱歌。
- 送餐服务太慢，我等了四十分钟才吃上饭。
- 服务员不经同意，就自己拿钥匙进入客人房间。

　　虽然你们酒店是四星级的，但是我觉得还不如三星级的服务
好。如果你们不信我的话，可以叫你们的家人或朋友来酒店住三
天，就知道我说得对不对。

　　祝

好！

NOTES

尊敬	zūnjìng	respectable
盖	gài	to cover
被子	bèizi	quilt

林大同

11月9日

1. 林大同的信是写给谁的？

2. 林大同为什么写这封信？

3. 在信中，林大同对酒店的服务员有什么意见？

4. 在酒店客房里能看电视吗？

5. 林大同有什么建议？

七、回答问题　Answer the questions in Chinese

小林：

　　你好！我已经在这儿待了五天了，我很喜欢这里的 田园风光 和 皇家园林。我明天去牛津大学参观，周末离开这里。

　　　　　　　　笔友：李丽

　　　　　　　　8月6日

爸爸、妈妈：

　　你们好！

　　我们本来要去迪士尼公园，但今天东京下暴雨，所以只好待在酒店里。这里酒店的服务很好，我吃了很多寿司、鱼生和拉面。我给你们买了领带和口红。

　　　　　　　　女儿：李丽

　　　　　　　　8月13日

NOTES

田园风光	tiányuán fēngguāng	rural (or idyllic) scenery
皇家	huángjiā	royal
园林	yuánlín	garden; park

明明：

　　我刚刚从故宫回来，一会儿又要去看马戏。这儿的名胜古迹太多了，我只参观了一小半。本来打算明天离开这儿，可能要晚几天。

马戏　mǎxì
circus show

朋友：李丽
8月17日

小林：

　　我随旅行团到台北已有两天了。旅行团虽然便宜，但是不自由。这儿的山水很美，人们也很友好。我特别喜欢这儿的小吃。

笔友：李丽
8月22日

1. 从8月6日到8月13日，李丽去了哪两个国家？

2. 李丽在哪儿给父母亲买了礼物？

3. 李丽在哪儿要多待几天？

4. 李丽在哪儿参加了旅行团？

5. 参加旅行团有哪些好处和坏处？

八、回答问题 Answer the questions in English

警 察：有什么可以帮忙的吗？

王先生：我的旅行袋不见了。

警 察：你在什么地方丢的？

王先生：我在候机室的咖啡店里喝完咖啡，就去交钱，忘了拿椅子下的旅行袋。等我想起来的时候，已经没有了。

警 察：旅行袋里有什么东西？

王先生：护照、机票、照相机、钱包、手机等。

警 察：有没有试打你的电话？

王先生：有，可是已经关机了。

警 察：别着急，我们先去失物招领处找一找。

NOTES
关机 guānjī to switch off
着急 zháojí worried

? 1. Where did Mr. Wang put his bag?

? 2. What were inside his bag?

? 3. What did he do after he found his bag missing?

? 4. What was the policeman's advice?

1. 你喜欢旅游吗？你喜欢和谁一起旅游？

2. 你喜欢同父母一起去旅游，还是同朋友一起去旅游？

3. 你去年去哪儿旅游了？怎么去的？和谁一起去的？

4. 你们住在什么地方？

5. 你们做了什么？

6. 你买了什么？买纪念品了吗？买给谁的？

7. 你去过哪些国家？在这些国家中，哪个国家你还想再去一次？

8. 如果你突然有一大笔钱，想去哪儿旅游？

一、填空　Fill in the blanks in Chinese

我的旅行袋里有护照、——————、——————、——————

和 ——————。

二、翻译　Translation

1. I stayed in a four-star hotel when I was in Beijing.

2. I have been to the Great Wall twice.

3. I bought a skirt for my sister when I was in Singapore.

4. Have you seen my passport?

5. The people in Shanghai are very friendly.

三、写一写你的一次旅行，包括：
Describe a travel experience. You should include:

你去了哪儿？
怎么去的？

你同谁去的？
住在哪儿？

你做了什么？

你买了什么？

你对这个
地方的印象
怎么样？

四、续写　Continuous writing

我坐着太空船到了月球，那儿 _____

_____

_____

_____

一、回答问题　Answer the questions in Chinese

1. 今年东尼去哪儿旅行了？

2. 东尼参观了哪些名胜古迹？（写出三个）

3. 为什么东尼觉得伦敦的歌剧院最应该去？

4. 在伦敦可以买些什么做礼物？（写出两种）

二、填空　Fill in the blanks in Chinese

　　苏州是中国江南的一座_____古城，因为风景美而被称为人间_____。苏州的园林最有名，园中有小桥流水和_____。窗是苏州园林的一大_____，那里有_____的窗，从每个窗里看到的_____都不一样。

第十七课 节假日
Festivals and Holidays

常用字词
Useful Words

1. 节日   jiérì
2. 公共假期   gōnggòng jiàqī
3. 暑假   shǔjià
4. 寒假   hánjià
5. 春节   Chūn Jié
6. 新年   xīnnián
7. 农历   nónglì
8. 阴历   yīnlì
9. 阳历   yánglì
10. 红包   hóngbāo
11. 压岁钱   yāsuìqián
12. 舞龙   wǔ lóng
13. 舞狮   wǔ shī
14. 拜年   bàinián
15. 年夜饭   niányèfàn
16. 恭喜发财   gōngxǐ fācái
17. 年年有余   niánnián yǒuyú
18. 年糕   niángāo
19. 汤圆   tāngyuán
20. 中秋节   Zhōngqiū Jié
21. 灯笼   dēnglong
22. 赏月   shǎng yuè

23. 月饼   yuèbing
24. 清明节   Qīngmíng Jié
25. 扫墓   sǎomù
26. 先人   xiānrén
27. 端午节（龙舟节） Duānwǔ Jié（Lóngzhōu Jié）
28. 赛龙舟   sài lóngzhōu
29. 粽子   zòngzi
30. 圣诞节   Shèngdàn Jié
31. 圣诞快乐   Shèngdàn kuàilè
32. 平安夜   píng'ānyè
33. 唱圣诗   chàng shèngshī
34. 圣诞卡   shèngdànkǎ
35. 圣诞树   shèngdànshù
36. 火鸡   huǒjī
37. 元旦   Yuándàn
38. 倒数   dàoshǔ
39. 情人节   Qíngrén Jié
40. 父亲节   Fùqīn Jié
41. 母亲节   Mǔqīn Jié
42. 复活节   Fùhuó Jié
43. 万圣节   Wànshèng Jié
44. 感恩节   Gǎn'ēn Jié

一、回答问题　Answer the questions in Chinese

　　一到农历十二月份，春节的各种活动就开始了。农历十二月八日是"腊八节"。这一天家家户户喝"腊八粥"，粥里有大米、小米、黄豆、红豆、绿豆、葡萄干、花生等。农历十二月二十三日过小年，二十四日大扫除。十二月三十日晚上叫除夕，全家人在一起吃年夜饭，年夜饭一般都会有鸡和鱼。吃完饭后，全家人一起包饺子、看电视、等候新年零点的钟声。农历一月一日，人们带着礼物走亲访友、互拜新年，没结婚的年轻人或小朋友会拿到红包。街上有舞龙、舞狮表演，公园里有庙会。农历一月十五日是元宵节，人们吃汤圆、去公园看灯。元宵节后，为期一个多月的春节就过完了。

NOTES

粥	zhōu	porridge
豆	dòu	bean
除夕	chúxī	New Year's Eve
庙会	miàohuì	temple fair
元宵节	Yuánxiāo Jié	Lantern Festival

1. 腊八粥里有什么？

_____

2. 年三十晚上的年夜饭一般会有哪两个菜？

_____

3. 年三十晚上除了吃饭，大家还做什么？

_____

4. 农历一月一日，人们一般做什么？

_____

5. 春节期间，公园会举办什么活动？

6. 元宵节在哪一天？

7. 元宵节人们做什么？

二、判断正误 True or false

NOTES

射 shè to shoot (arrow, bullet, football, etc.)
长生不老 chángshēng bù lǎo immortality
轻 qīng light; of little weight
穿 chuān to penetrate
想念 xiǎngniàn to miss, to long to see sb.
团圆 tuányuán reunion

传说嫦娥（Chang'e）是一个美丽、善良的女人。她的丈夫叫后羿(Houyi)，曾经把天上的十个太阳射下来九个。农历八月十五的那天，因为一些不开心的事，嫦娥偷偷地吃了丈夫的药，那是一种长生不老的药。吃完，她感到身体越来越轻，飞出窗外，穿过云层，到了月亮上。月亮上冷冷清清的，只有一个叫吴刚的人，还有一只可爱的兔子。每天晚上，嫦娥想念着家乡和亲人，希望可以全家团圆。后来人们为了纪念嫦娥，就把农历八月十五日叫做中秋节，也叫团圆节。人们在那一天晚上吃月饼、赏月。

1. 嫦娥是后羿的妻子。 ☐
2. 后羿把天上的十个太阳都射下来了。 ☐
3. 嫦娥吃了丈夫给她的药。 ☐
4. 在月亮上，除了嫦娥，只有一个人。 ☐
5. 一到晚上，嫦娥就想起她的家乡。 ☐
6. 中秋节又被称做团圆节。 ☐

三、回答问题　Answer the questions in English

如果你想在香港过一个白色圣诞，你一定要来迪士尼乐园。从十二月一日起，每天晚上六点，美国小镇广场就变成了银色世界，天上"雪花儿"飘飘，米奇和米妮穿上了圣诞衣服和每一个游客照相。小镇的街心摆放着一棵二十米高的圣诞树。每一天，都会有一个幸运游客亲自点亮圣诞灯饰，这时米奇和他的朋友们会带着大家一起唱圣诞歌。餐厅里已经准备好了南瓜奶油汤、圣诞火鸡和布丁。圣诞老人也会与你一起欢度圣诞，你可以与他来一张合影，告诉他你的圣诞愿望。

如果你想过一个与众不同的圣诞，请来香港迪士尼！

NOTES

飘	piāo	to float in the air
游客	yóukè	tourist
照相	zhàoxiàng	to take a picture
奶油	nǎiyóu	cream

1. Starting from Dec.1st, what will happen to the Town Square at 6 o'clock?

2. Who will be there to receive the guests?

3. What will the luckiest guest do?

4. Name three dishes in the restaurant.

5. Who else can you find in the restaurant? What can you do with him?

6. What is "与众不同"?

四、回答问题　Answer the questions in Chinese

　　我叫小明，住在中国北方的一个小城市里。我很喜欢过春节。春节期间，我们有三个星期左右不用上学。可以和朋友一起玩儿，如滑冰、堆雪人等，也可以打牌、下棋。另外一件事情就是放鞭炮和烟花。从阴历三十晚上到大年初一，整整一夜鞭炮声不停。我喜欢春节的另一个原因是可以收到红包。许多亲朋好友给的红包，少的有二十元，多的会有几百元，真开心啊！虽然妈妈经常让我把红包交给她一部分，但是剩下的仍然能让我痛快地用几个星期或几个月。当然，我有时也会把一部分存进银行。春节真好，真希望每天都是春节！

NOTES

打牌	dǎpái	to play cards
下棋	xiàqí	to play chess
鞭炮	biānpào	firecrackers
烟花	yānhuā	fireworks
痛快	tòngkuai	to one's great satisfaction

1. 小明住在哪儿？

2. 写出小明在假期里的三种活动。

3. 写出小明喜欢春节的两个原因。

4. 小明会不会把春节收到的钱都交给妈妈？

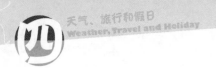
五、配对　Match the activities on the left to the festivals on the right

墓　mù　grave

1. 我们把爷爷最喜欢吃的苹果放在他的墓前。　　a.端午节

2. 龙舟比赛非常热闹。　　b.春节

3. 我们一边吃月饼，一边赏月。　　c.圣诞节

4. 小孩子们穿上新衣、新鞋，向大人讨红包。　　d.复活节

5. 我们在平安夜的时候去教堂。　　e.清明节

6. 很多小朋友打扮成鬼的样子，向邻居要糖果。　　f.中秋节

7. 小朋友们四处找彩蛋。　　g.万圣节

鬼　guǐ　ghost

六、填表　Read the following text and fill in the form in Chinese

记　　者：各位观众，站在我面前的是海洋公园的人事部高级经理李先生。
今年海洋公园为了迎接万圣节，需要请两百人扮演鬼。现在请李
先生讲一讲。

李经理：从今年九月二十日到现在，我们已经收到一
千五百多人的申请。我们会约这些人面试。

记　　者：都面试些什么？

李经理：表演鬼吓人的样子，也要会表演普通人见
到鬼时害怕的样子。

记　　者：对报名人都有什么要求？

李经理：身体健康，大于十六岁、小于六十岁。

记　　者：现在还可不可以报名？

李经理：到十月十五日之前都可以。请上我们公园
的网站，在网上报名。

海洋公园招"鬼"大行动

招聘人数	
面试内容	
对报名人的要求	
报名方法	
报名日期	

NOTES

迎接　yíngjiē　to welcome
扮演　bànyǎn　to play the role of; to act
申请　shēnqǐng　application
网站　wǎngzhàn　website
招聘　zhāopìn　to invite applications
　　　　　　for a job

七、多项选择　Multiple choice

健身　jiànshēn　to keep fit

　　每年暑假一开始，我都有很多＿＿＿＿＿＿（❶计算 ❷计划 ❸计较 ❹计量）。我要看二十本小说，我要学一门＿＿＿＿＿＿（❶乐器 ❷机器 ❸电器 ❹计算器），我要健身等等。第一个星期，我想刚刚放假总要休息一两天，所以我每天中午才起床，下午看电视，晚上上网。一个星期很快就过去了。第二个星期，我的朋友打电话说在家太没有意思了，约我去＿＿＿＿＿＿（❶动物 ❷购物 ❸人物 ❹礼物），还在朋友家住了一两天，很快，又过了一个星期。第三个星期，我想＿＿＿＿＿＿（❶怎么 ❷什么 ❸哪里 ❹哪儿）也要干点儿事情了，我早上九点就起床了，可是没看几页书，就睡着了。就这样，日子一天一天地过去了，暑假就快完了，可是我什么也没有干，而且因为天天在家里待着，还长胖了五＿＿＿＿＿＿（❶公里 ❷公斤 ❸米 ❹寸）。还有，妈妈天天问我做了什么事，好烦！我只好＿＿＿＿＿＿（❶盼着 ❷看着 ❸想着 ❹听着）快快开学，那些计划等到寒假再说吧。

烦　fán　annoying

1. 你知道春节在哪一天？春节人们一般做什么，吃什么？
2. 你知道中秋节在哪一天？中秋节人们一般做什么，吃什么？
3. 你知道清明节在哪一天？清明节人们一般做什么？
4. 你知道端午节在哪一天？端午节人们一般做什么，吃什么？
5. 你知道圣诞节在哪一天？圣诞节人们一般做什么，吃什么？
6. 你知道复活节在哪一天？复活节人们一般做什么？
7. 你知道万圣节在哪一天？万圣节人们一般做什么？
8. 你有没有看过舞龙、舞狮？在哪儿看过？
9. 你们国家的国庆节在哪一天？一般会有哪些庆祝活动？
10. 今年的母亲节/父亲节你是怎么过的？
11. 你最喜欢哪一个节日？为什么？
12. 今年你的新年愿望是什么？
13. 你有什么新年大计吗？
14. 你寒假/暑假一般怎么过？
15. 你认为什么样的假期最理想？

一、填空　Fill in the blanks in Chinese

1. 中国有很多传统节日，它们是元宵节、＿＿＿＿＿＿、＿＿＿＿＿＿、
＿＿＿＿＿＿和＿＿＿＿＿＿。

2. 春节的时候，中国人吃鱼、＿＿＿＿＿＿、＿＿＿＿＿＿、＿＿＿＿＿＿和
＿＿＿＿＿＿。

二、翻译　Translation

1. We make dumplings on New Year's Eve.

2. I got five hundred dollars in red packet.

3. Mom bought me a mobile phone as a Christmas gift.

4. We will go to church on Christmas Eve.

5. I went to a summer camp in London last summer.

三、写一个你最喜欢的节日，包括：
Write about your favorite holiday. You should include:

这个节日，人们一般放几天假？

有哪些活动？

有什么节日食品？

你为什么喜欢这个节日？

141

四、续写 Continuous writing

圣诞节的早上，我听见有人敲门，我一开门，看见

一、回答问题 Answer the questions in English

1. Were all the dragon boats of the same colour?

2. What was fixed on the front of a dragon boat?

3. How many oarsmen were there in one boat?

4. How did they sit?

5. What did the audience shout when the race began?

二、填空　Fill in the blanks in Chinese

1. 七夕节又叫＿＿＿＿＿＿＿＿＿＿＿＿＿＿。

2. 七夕节在农历＿＿＿＿＿＿＿＿＿＿＿＿。

3. 七夕节的故事中有一对男女，他们＿＿＿＿＿＿＿＿

＿＿＿＿＿＿＿＿＿＿＿＿＿＿＿＿＿＿。

个人长相、性格和爱好
Physical Appearance, Personality and Hobbies

第十八课 **长 相**

Physical Appearance

常用字词
Useful Words

1. 方脸　fāng liǎn
2. 圆脸　yuán liǎn
3. 瓜子脸　guāzǐliǎn
4. 眼睛　yǎnjing
5. 鼻子　bízi
6. 嘴巴　zuǐba
7. 牙齿　yáchǐ
8. 耳朵　ěrduo
9. 下巴　xiàba
10. 头发　tóufa
11. 长发　cháng fà
12. 短发　duǎn fà
13. 黑（色）头发　hēi(sè) tóufa
14. 金（色）头发　jīn(sè) tóufa
15. 直发　zhí fà
16. 卷发　juǎn fà
17. 皮肤　pífū
18. 戴眼镜　dài yǎnjìng

19. 长相　zhǎngxiàng
20. 身材　shēncái
21. 个子　gèzi
22. 身高　shēngāo
23. 高　gāo
24. 矮　ǎi
25. 胖　pàng
26. 瘦　shòu
27. 看上去（像）　kàn shangqu (xiàng)
28. 长得（像）　zhǎng de (xiàng)
29. 好看　hǎokàn
30. 漂亮　piàoliang
31. 美丽　měilì
32. 英俊　yīngjùn
33. 帅　shuài
34. 难看　nánkàn
35. 丑　chǒu
36. 一般　yìbān

一、判断正误　True or false

　　我妈妈年轻的时候长得很美，黑黑的眼睛，尖尖的下巴。我的爸爸长得不好看，小眼睛，大方脸，又胖又矮。妈妈比爸爸高很多。我真的不明白他们为什么会结婚。但是他们在一起总是很开心。我长得像爸爸，但是长得还不错。每当人家说我长得好看的时候，爸爸总是很高兴，他经常说："我的女儿长得像我，一定是美人了！"

1　作者的妈妈很漂亮。　□

2　作者的爸爸比妈妈矮。　□

3　作者长得和爸爸一样丑。　□

4　作者长得像妈妈，很漂亮。　□

二、选择　Multiple choice

李红：

　　你好！

　　知道你下星期六坐港龙K610来香港，我很高兴。我会下午三点半在香港机场的美心快餐店里等你。我很高很瘦，个子一米八五左右，棕色卷发，你会很容易认出我的。如果你找不到我，可以在机场给我打电话，电话号码是46778983。下周六见。

　　祝

好！

马明

9月5日

1. 李红坐哪种交通工具来香港？

　　❶ 船　　　　　　❷ 火车　　　　　❸ 飞机　　　　　❹ 汽车

2. 马明长得什么样？

　　❶ 又高又瘦　　　❷ 不胖不瘦　　　❸ 高高大大　　　❹ 又瘦又小

3. 马明在什么地方等李红？

　　❶ 机场出口　　　❷ 机场对面　　　❸ 美心快餐店里　　❹ 美心快餐店门口

4. 马明几点等李红？

　　❶ 6:10 am　　　❷ 3:00 pm　　　❸ 3:30 pm　　　　❹ 8:50 pm

三、填空　**Fill in the blanks with the words in the box**

　　　我心中的白马王子应该身材高大，有一米八五＿＿＿＿＿＿＿，不胖＿＿＿＿＿＿＿不瘦。他有威廉王子（Prince William）的眼睛，好像会说话；有贝克汉姆（David Beckham）的鼻子，又高又直；有奥兰多（Olando Bloom）的＿＿＿＿＿＿＿，还有一排雪白的牙齿使他的笑容更迷人。他大方、热情，爱好＿＿＿＿＿＿＿。虽然有很多女孩子喜欢他，但是他只爱我一个人。妈妈说世界上没有这样＿＿＿＿＿＿＿的男孩子，可是我＿＿＿＿＿＿＿我一定会找到他的。

热情　rèqíng　warm-hearted

❶ 想　　❷ 完美　　❸ 嘴巴　　❹ 体育　　❺ 也　　❻ 左右

四、回答问题 Answer the questions in Chinese

小时候我住在广州，大家都说我长得不像女孩儿。哥哥和妈妈都是大眼睛，就是我长得像爸爸——小眼睛、大嘴巴和黑皮肤。我从小不爱美,总是把头发剪得短短的,也很少穿花花绿绿的裙子。前不久，我的朋友说我长得很漂亮，我还以为她在开玩笑。昨天有一个广告公司想让我做模特儿，说我长得帅气，有着中性美。我很感谢爸爸，因为他给了我一双很特别的小眼睛。美不美一点儿也不重要了。

模特（儿） mótè(r)
model

中性 zhōngxìng
unisex; neutral

1. 哥哥和作者长得一样吗?

2. 作者长什么样儿?

3. 广告公司的人为什么想让作者做模特儿?

4. 作者为什么要感谢爸爸?

五、回答问题 Answer the questions in English

我的英文老师是英国人，他姓亚历山大，但是我们都叫他A先生。A先生今年五十多岁，高高的个子、雪白的头发。他经常穿着黑色的皮衣，骑摩托车上班。我们开玩笑说他是学校的汤姆·克鲁斯(Tom Cruise)，他听了非常开心。

A先生的英文课很有意思。他时常让我们做游戏，还让我们演戏。他很幽默，经常讲笑话，我们都喜欢上他的课。A先生是诗人，他经常写诗，还读给我们听。虽然我有时不明白他的诗说什么，但是我还是觉得很有趣。

NOTES

幽默	yōumò	humorous
诗人	shīrén	poet

1. Who is Mr. A?

2. What does he look like?

3. Why do his students call him Tom Cruise?

4. How does he make English lessons interesting?

5. Do the students understand what his poems are about?

六、回答问题 Answer the questions in Chinese

我的表姐小丽从小就长得丑——尖脸、小眼睛、扁鼻子，戴着一副大眼镜，走路的时候总是低着头，身边没有多少朋友。三年前她去国外读书。今年她回来，我差一点儿认不出她了。她的

NOTES
鸭　yā　duck
天鹅　tiān'é　swan
个性　gèxing　individuality

黑发又长又直；眼镜不见了，一双眼睛亮亮的。丑小鸭变成白天鹅了。表姐说各个地方的人对美的看法都不同，很多外国人觉得她的相貌很有个性，很漂亮。找回自信的她，当然和以前大不一样了。

1. 小丽小的时候，为什么大家说她丑？
_____

2. 从哪句话能看出小丽小时候没有自信？
_____

3. 小丽现在长什么样儿？
_____
_____

4. 小丽为什么现在觉得很有自信了？
_____

5. 作者觉得小丽美不美？
_____

七、填表　Read the following text and fill in the form in Chinese

东尼：嘿，那不是现在最红的影星林风吗？

小月：哪里啊？我怎么看不到？

东尼：前面那个戴太阳镜，穿白色外套、牛仔
裤的。

小月：不会吧。他哪里有这么矮呀，书上说他
有一米八啊！

东尼：真人和电影里的会不一样的。你看他的
长头发和高鼻子，我觉得他就是林风。

小月：他看上去很一般，一点儿也不好看。我
还是喜欢他电影里的样子。

东尼：不过，他看上去人还不错，挺友善的。

林风		
	身高	
	穿着打扮	
	长相	
	职业	
	性格	

1. 你爸爸长什么样儿？你妈妈长什么样儿？
2. 你长得像谁？
3. 你喜欢自己的长相吗？
4. 你觉得自己哪儿长得最好？
5. 说一说你的好朋友的长相。
6. 你认为哪位名人最好看，为什么？
7. 白种人（黄种人／黑种人）长什么样儿？

一、造句　**Make a sentence with each of the words given below**

1. 长得

_____

2. 长相

_____

3. 胖/瘦

_____

4. 一米七三

_____

5. 左右

_____

二、翻译　Translation

1. He is very handsome.

2. I look like my Dad.

3. He is much taller than before.

4. He has big eyes and a pointed nose.

5. He was very thin last year.

三、写一写下面两个人的长相

Describe the facial characteristics of the two people below

四、写一写你心中最美的人应该长什么样儿，包括：
Describe the physical appearance of your ideal man/woman. You Should include:

他/她应该有谁的眼睛（鼻子/嘴巴/耳朵/头发）？

他/她的皮肤是什么颜色的？

他/她身高多少？

他/她体重多少？

五、续写 Continuous writing

昨天，我见到了两个外星人，他们长得

_____

_____

_____

_____

听力
Listening

一、填空 Fill in the blanks in Chinese

《_____圣母院》（Notre Dame de Paris）里

的卡西莫多（Quasimodo）长得很_____。他的

_____一边大，一边小，只有一只_____可以

看东西。两颗大牙露在_____外面。头上没有多少

_____。他长得_____，却是一个驼背。他

虽然外表_____，但内心是_____的。

二、回答问题 Answer the questions in Chinese

1. 表哥长什么样儿？

2. 表弟长什么样儿？

3. 你知道他们是谁吗？

第十九课 性格

Personality

1. 性格　xìnggé
2. 优点　yōudiǎn
3. 缺点　quēdiǎn
4. 内向　nèixiàng
5. 外向　wàixiàng
6. 大方　dàfang
7. 小气　xiǎoqi
8. 小家子气
　　xiǎojiāziqì
9. 急性子　jíxìngzi
10. 慢性子　mànxìngzi
11. 马虎　mǎhu
12. 细心　xìxīn
13. 凶　xiōng
14. 友好　yǒuhǎo
15. 善良　shànliáng

16. 正直　zhèngzhí
17. 笑　xiào
18. 哭　kū
19. 独立　dúlì
20. 自信　zìxìn
21. 诚实　chéngshí
22. 爱帮助人
　　ài bāngzhù rén
23. 聪明　cōngmíng
24. 好动　hào dòng
25. 生气　shēngqì
26. 发脾气
　　fā píqi
27. 耐心　nàixīn
28. 幽默　yōumò

一、回答问题　**Answer the questions in Chinese**

　　我最好的朋友是几米，他是我的同班同学。他上课坐在我后面，我们开始不说话，后来慢慢成了好朋友。我们不太一样：我很外向，他很内向；我喜欢运动，他喜欢上网；我喜欢去旅行，他喜欢待在家里。不过我们在一起还是很开心。几米很幽默，他常常把网上的笑话讲给我听。我们还一起去看电影。几米很大方，他经常像老师一样教我做数学。最近，几米有了女朋友，我们在一起的时间少了，他说会让他的女朋友帮我找一个女朋友，这样我们就可以四个人一起出去玩儿了。四个人一起出去是个好主意，不过我还是想自己找女朋友。

主意　zhǔyi　**idea**

? 1. 几米和作者的性格有什么不同？

_____

? 2. 几米和作者的爱好有什么不一样？

_____

? 3. 几米有什么优点？

_____

? 4. 为什么作者不喜欢几米为他找女朋友？

_____

二、填空　Fill in the blanks with the words in the box

　　我不喜欢丽丽。她的脾气很大，一不高兴，就又哭又闹，以为自己是一个公主。一次，她数学考试＿＿＿＿＿＿，才三十五分，她向老师哭了好长＿＿＿＿＿＿。最后，好心的老师不得不把她分数加到四十分。丽丽经常为了一点儿小事＿＿＿＿＿＿。丽丽喜欢说她家里很有钱——她有最新的＿＿＿＿＿＿，她的衣服很贵。很多女同学都不喜欢和她说话。上个月她生日，她叫我去她家玩儿。我不想去，＿＿＿＿＿＿最后还是去了。她妈妈很＿＿＿＿＿＿，要我多和她玩儿，还给我做了很多好吃的。我真不知道怎么和她做朋友。

公主　gōngzhǔ　princess

❶ 生气　❷ 但是　❸ 开心　❹ 不及格　❺ 时间　❻ 手机

三、判断正误　True or false

　　我的男朋友丹尼尔是学校足球队队长，我很喜欢他。丹尼尔有很多优点：他正直又热情，喜欢帮助人。他的缺点是有时太热情，有太多的朋友，他经常没有时间和我在一起。很多女孩子都喜欢他，给他打电话，使我很不高兴。他也很马虎，经常不记得我的生日或给我打电话。我们在一起已经三年了，我们中学毕业后会一起去美国求学。

求学　qiúxué　to study

1 丹尼尔的缺点是太热情。　☐
2 丹尼尔喜欢和女孩子打电话。　☐
3 丹尼尔的朋友不多。　☐
4 我们三年后会去美国上中学。　☐

四、回答问题 Answer the questions in English

我的小狗叫小黄，它是我从小养大的。小黄对生人很凶，常常大叫。但它对我的家人很热情、友好。它一见我穿校服，就大叫，不愿意我出去。我做作业的时候，小黄会待在我身边，一动也不动。小黄是个急性子，它想出去玩儿的时候，就会把你的鞋拿给你；如果你不穿鞋，它就急得在屋里跑来跑去。小黄吃东西也很快，它不喜欢吃狗食，喜欢吃鸡腿。小黄很聪明，它如果做错事，就会待在床下不出来。我很爱小黄，它是我最好的朋友。

愿意 yuànyì
to be willing to

1. How does the dog treat strangers?

2. What does the dog do while the author does her homework?

3. What is the dog's favorite food?

4. Under what circumstances will the dog stay under the bed?

5. Give an example to show that the dog is always impatient.

五、回答问题　Answer the questions in Chinese

我的妈妈很爱我。我出生后，她就做了家庭主妇。她每天开车送我上学，给我做很多好吃的。但是妈妈对我太严格了：如果我考试得七十分以下，她就很伤心；如果我回家晚了，她就会发脾气。妈妈是一个急性子，每天晚上她都说我洗澡的时间太长，应该早点儿睡觉。我最不开心的是，妈妈总是说我的朋友不好，说我应该找一些学习好的朋友。每天我回家后妈妈就问我："今天有什么作业？""有没有喝水和吃午饭？" 我希望妈妈见到我时会先对我说："你今天开心吗？"

1. 妈妈工作吗？

2. 妈妈每天做什么？

3. 妈妈什么时候会发脾气？

4. 作者希望听到妈妈说的话是什么？

六、回答问题　Answer the questions in Chinese

　　　　我最好的朋友叫东尼，他是美国人，今年十五岁，在西岛学校上十一年级。他有一头棕色的短发，晒得黑黑的脸上有一双细长的眼睛。他身材高大，身高一米九左右，是西岛学校篮球队的主力。东尼的优点很多——自信、诚实，对朋友的事很热心。每次找他帮忙，他都说："没问题。"他最大的爱好就是打篮球。他很喜欢美国湖人队(Lakers)的科比(Kobe Bryant)，他中学毕业后想去NBA打球。

　　　　我和东尼是同班同学。我们经常一起回家，一边走，一边聊天儿。我们总是有讲不完的话。

1. 东尼长什么样儿？

2. 东尼的优点是什么？

3. 东尼的偶像是谁？

4. 东尼长大了想做什么？

5. 东尼和作者经常在一起做什么？

七、找反义词　Find the opposites and match the words on the left to those on the right

A	B
1.凶恶	a.外向
2.内向	b.笑
3.小气	c.大方
4.慢性子	d.友好
5.哭	e.仔细
6.马虎	f.急性子

八、回答问题　Answer the questions in English

甲：你最喜欢哪个男演员？

乙：我最喜欢澳大利亚电影演员罗素·可洛(Russell Crowe)，他几
　　年前获得过奥斯卡最佳男主角奖。

甲：就是被好莱坞称为"坏小子"的那个演员吗？

乙：是的。虽然他很自大、爱发脾气，但是他也有很多优点。

甲：说来听听。

乙：他很幽默、热情，会演戏。　　　醉酒　zuì jiǔ　drunk
　　　　　　　　　　　　　　　　　闹事　nàoshì　to make trouble

甲：听说他时常喝醉酒闹事。

乙：我也听说过。不过现在他已经是两个孩子的爸爸了，应该
　　好多了。

1. Where does Russell Crowe come from?

2. What award did he receive a few years ago?

3. What are his weaknesses?

4. What are his merits?

口语
Oral

1. 你的好朋友有什么样的性格？

2. 你觉得你的优点有哪些？

3. 你觉得你的缺点有哪些？

4. 你觉得做一个成功的商人应该有什么样的性格？

5. 你觉得做一个好老师应该有什么样的性格？

6. 讲一讲你父母的性格。

7. 讲一讲你家宠物的性格。

一、填空　Fill in the blanks in Chinese

　　1. 东东的性格很好，他幽默、＿＿＿＿＿＿＿、＿＿＿＿＿＿＿＿＿。

　　2. 我的姐姐有很多优点，她聪明、＿＿＿＿＿＿＿、＿＿＿＿＿＿＿＿＿。

　　3. 我希望明年能改正缺点，不再＿＿＿＿＿＿＿，也不＿＿＿＿＿＿＿。

二、造句　Make a sentence with each of the words given below

　　1. 优点

　　2. 自信

　　3. 性格

　　4. 生气

三、翻译　Translation

　　1. He is warm-hearted.

　　2. Miss Wang is very generous.

3. I don't like her personality.

4. He is an outgoing person and has a lot of friends.

5. She is very careless.

四、写一写你自己，包括：
Write about yourself. You should include:

年龄

长相

性格

五、续写 *Continuous writing*

东东是一个慢性子, 他

....

....

....

....

....

....

一、多项选择 *Multiple choice*

1. 天天是_____。

    ❶ 公的   ❷ 母的   ❸ 母亲   ❹ 父亲

2. 哪一只熊猫活泼好动?

    ❶ 月月   ❷ 天天   ❸ 两只都是   ❹ 都不是

3. 哪一只熊猫不太外向?

    ❶ 月月   ❷ 天天   ❸ 两只都是   ❹ 都不是

4. 哪一只熊猫喜欢和人在一起?

    ❶ 月月   ❷ 天天   ❸ 两只都是   ❹ 都不是

二、回答问题　**Answer the questions in English**

1. Who is David?

2. Give an example to show that David is a very shy person.

3. Give an example to show that David is a kind-hearted person.

第二十课　爱好 Hobbies

常用字词
Useful Words

1. 爱好	àihào	23. 武术	wǔshù
2. 参加	cānjiā	24. 读书	dúshū
3. 课外活动		25. 看书	kàn shū
	kèwài huódòng	26. 看小说	kàn xiǎoshuō
4. 踢足球	tī zúqiú	27. 听音乐	tīng yīnyuè
5. 打球	dǎ qiú	28. 流行音乐	liúxíng yīnyuè
6. 篮球	lánqiú	29. 古典音乐	gǔdiǎn yīnyuè
7. 网球	wǎngqiú	30. 弹钢琴	tán gāngqín
8. 羽毛球	yǔmáoqiú	31. 弹吉他	tán jíta
9. 排球	páiqiú	32. 拉小提琴	lā xiǎotíqín
10. 乒乓球	pīngpāngqiú	33. 唱歌	chàng gē
11. 水球	shuǐqiú	34. 跳舞	tiàowǔ
12. 马球	mǎqiú	35. 画画(儿)	huà huàr
13. 高尔夫球		36. 油画	yóuhuà
	gāo'ěrfūqiú	37. 水彩画	shuǐcǎihuà
14. 游泳	yóuyǒng	38. 国画	guóhuà
15. 晒太阳	shài tàiyáng	39. 看电视	kàn diànshì
16. 滑冰	huábīng	40. 看电影	kàn diànyǐng
17. 滑雪	huáxuě	41. 合唱团	héchàng tuán
18. 骑马	qí mǎ	42. 放风筝	fàng fēngzheng
19. 爬山	pá shān	43. 种花(儿)	zhònghuār
20. 跑步	pǎobù	44. 织毛衣	zhī máoyī
21. 散步	sànbù	45. 玩(儿)电脑游戏	
22. 功夫	gōngfu		wánr diànnǎo yóuxì

一、配对   **Match the verbs on the left to the nouns on the right**

A   B

1.弹		a.音乐
2.踢		b.油画
3.打		c.邮
4.下		d.口琴
5.上		e.电脑游戏
6.拉		f.东西
7.画		g.电视
8.骑		h.棋
9.玩儿		i.钢琴
10.吹		j.花儿
11.唱		k.小提琴
12.买		l.足球
13.听		m.自行车
14.看		n.舞
15.跳		o.歌
16.集		p.篮球
17.种		q.网

二、回答问题 *Answer the questions in Chinese*

还有一个月我就要参加中学会考了，所以每天大部分时间都花在准备考试上了。每天我只能睡五个小时的觉，我的床是世界上最舒服的地方，而起床成了世界上最困难的事情。我心爱的排球已经在床底下待了三个月了；吉他上也有了一层灰尘；就连我的小狗也不理我了，因为我好长时间没有同它一起散步了。今天下午第一节课是汉语课，我的头越来越重，身体越来越轻，我睡着了。突然，我听到老师叫我的名字，他好像在问我："你的爱好是什么？"我说："睡觉！"

NOTES

灰尘	huīchén	dust
好像	hǎoxiàng	to seem

1. 作者还有多长时间考试？

2. 作者每天都在做什么？

3. 写出作者的三种爱好。

4. 作者为什么说床是世界上最舒服的地方？

三、判断正误 True or false

　　奶奶喜欢织毛衣，以前，每天晚上她坐在沙发上一边看电视一边织毛衣。每到圣诞节，奶奶的礼物总是一件手织毛衣，毛衣上有花儿或者小动物，口袋里还放着两块巧克力。小时候我不太喜欢穿奶奶织的毛衣，觉得不如在商店里买的毛衣时髦，所以很少穿。今年的圣诞节，我在商店里看到一件毛衣，和奶奶以前给我的很像：奶白色的，上面有蓝色的雪花儿。看着毛衣，我想起了奶奶，她已经在一年前去世了，我真想对她说："奶奶织的毛衣是世界上最漂亮、最暖和的。"

1. 奶奶从早到晚都织毛衣。　　　　　　　☐
2. 奶奶的圣诞礼物是毛衣和巧克力。　　　☐
3. 我小时候觉得奶奶的毛衣比商店里的时髦。☐
4. 奶奶给我织过一件白底蓝花儿的毛衣。　☐
5. 我已经告诉过奶奶，她织的毛衣最漂亮。☐

NOTES
时髦　shímáo　fashionable
去世　qùshì　to die;
　　　　　　to pass away

一心二用　yì xīn èr yòng
to do two things at one time

四、判断正误 True or false

　　每次做作业的时候，妈妈总是说我不应该一心二用：一边做作业，一边开着MSN。我觉得现在是电脑时代，人们应该学会一心多用。在MSN上你可以一边同几个人讲话，一边做作业，非常方便。而且MSN是免费的，所以即使你的朋友在国外，你想和他说多长时间就可以说多长时间。想一想，只要看到MSN的小绿人，你就知道在世界另一个地方，你的朋友正坐在电脑前；再看看他网上的签名，你就能知道他今天的心情好不好，有没有什么不开心的事。是不是很有趣？

签名　qiānmíng
MSN nickname; signature

1 ▶ 妈妈觉得做作业的时候不应该用 MSN。　☐

2 ▶ 作者认为人们应该学会同时做几件事。　☐

3 ▶ 看到 MSN 的小绿人，你就知道你的朋友开不开心。☐

4 ▶ 使用 MSN 是不用交钱的。　☐

五、填空　Fill in the blanks with the words in the box

爸爸是我的第一个象棋老师，他一有＿＿＿＿就教我，还买棋书给我。有＿＿＿＿他故意输给我，让我＿＿＿＿自己下棋下得很好。慢慢地我对下棋越来越＿＿＿＿了，现在我已经拿了两个市象棋＿＿＿＿了。爸爸早就不是我的＿＿＿＿了。不过我们一个月总要下一两次棋，＿＿＿＿爸爸每次都输，但是他总是很开心。他还说下棋像做人，每一步都要好好＿＿＿＿。

1 想一想　　2 感兴趣　　3 冠军　　4 虽然
　　　　　　　　　　　　　7 时间　　8 时候
5 对手　　　6 觉得

NOTES
象棋　xiàngqí　Chinese chess
故意　gùyì　intentionally
输　shū　to lose

六、回答问题 **Answer the questions in English**

　　我最喜欢的书是《公主日记》（*Princess Diaries*）。我特别喜欢书中的女主角美亚（Mia），因为我觉得我同她在很多地方都很像。

　　我们都是独生女，来自单亲家庭，没有多少朋友，养了一只肥猫。可是，美亚和我不同的是，她有一天突然发现她的爸爸是欧洲一个小国未来的国王，她是公主。她一夜之间成了名人。最后，她还认清了谁是她真正的朋友，也找到了她的白马王子。

　　我觉得美亚这个角色很真实，她幽默，对朋友很忠心，又热心环保。

　　真希望有一天爸爸、妈妈告诉我，我原来也是公主，那该多好啊！

NOTES

单亲	dānqīn	single parent
未来	wèilái	future
忠心	zhōngxīn	loyale

1. Why is Mia in *Princess Diaries* the author's favorite character?

2. In what ways are the author and Mia similar?

3. Describe Mia's personality.

4. According to the author, what happened to Mia in the end?

5. What does the author wish?

七、回答问题　Answer the questions in Chinese

　　小时候，我最开心的事就是和妈妈、爸爸一起看卡通片。我为小飞象哭，因为它不能和妈妈在一起。我也希望自己能成为第八个小矮人，可以和白雪公主做朋友。

　　我现在已经十几岁了，电影让我从九又四分之三号月台，同哈利·波特一起坐上了去魔法学校的火车，来到了魔法世界。我走进了十九世纪英国的一个小镇，认识了《小妇人》(Little Women)中的几个女孩儿，我和她们一起感受家庭的温暖。《铁达尼号》(Titanic)中的"你跳，我也跳"，让我相信爱情。《后天》(The Day After Tomorrow)的暴风雪使我知道，如果不关心环保，有一天，我们就得从地球上搬走。我希望能像超人一样，可以保护地球、保护人类。

　　电影让我认识了这个世界，它使我的生活丰富多彩。

NOTES
魔法　mófǎ　magic
世纪　shìjì　century
保护　bǎohù　to protect

1. 本文写了几部电影？

2. 哈利·波特从几号月台坐火车去学校？

3. 《小妇人》的故事发生在哪里？

4. 电影为什么对作者很重要？

NOTES

嘻哈	xīhā	hip-hop
毒品	dúpǐn	drug
暴力	bàolì	violence
拉丁	Lādīng	Latin
小号	xiǎohào	trumpet

八、回答问题　Answer the questions in English

老师：你喜欢什么音乐？

学生：我喜欢嘻哈音乐。

老师：说起嘻哈音乐，就使人想起毒品、暴力等。

学生：您说得不完全对，我喜欢的黑眼豆豆(Black-Eyed Peas)就不是这样。他们的音乐有着拉丁、亚洲、印第安色彩，很健康。男女老少都喜欢。

老师：你听过他们的演唱会吗？

学生：听过。去年他们来北京，爸爸买了一张演唱会的票，当做生日礼物送给我。那场演唱会真是叫人难忘。

老师：说来听听。

学生：黑眼豆豆的成员舞跳得好，他们还叫大家一起跳，所以现场成了一个大舞池，所有的观众都跳了起来。而且，他们还用了小号等不常见的乐器。还有，他们穿的衣服也不是肥大的运动衣，性感又时髦。

老师：你最喜欢黑眼豆豆中的哪个歌手？

学生：Fergie，她的唱法容易学，所以她的歌很流行。我最喜欢她唱的《伦敦大桥》。

1. When people talk about hip-hop music what other things can they think of?

2. What are the characteristics of Black-Eyed Peas' music?

3. Why was their Beijing concert a success?

4. Why does this student like Fergie?

5. Which song of Fergie's is this student's favorite?

九、判断正误　True or false

我爸爸是个书呆子，他不好吃，也不好穿，只喜欢看书。我们家里有几屋子书，好像图书馆一样。他五十岁的生日就是在书店看了一天书。每次旅行，他一定要花一天时间去书店。他喜欢上海的书城，也喜欢去台湾，因为那里有二十四小时都开门的书店。他每次出门的时候，一定要带本书，有时还因为不知道拿哪本书而迟到。他说书是他最好的朋友，所以他从来不会把书借给其他人。不过，他见到好书，总会多买几本送给朋友。

NOTES
书呆子 shūdāizi　nerd
迟到 chídào　to be late

1　爸爸用了一天时间在书店开生日会。☐
2　爸爸不好好儿吃饭。☐
3　爸爸舍不得把书借人。☐
4　爸爸到哪里都可以看书。☐

1. 你有什么兴趣/爱好？

2. 你的家人有什么兴趣/爱好？

3. 你喜欢运动吗？你经常做哪些运动？

4. 你喜欢听音乐吗？你经常听什么音乐？

5. 你喜欢哪一个乐队？

6. 你最喜欢的歌星是谁？

7. 你最喜欢看什么电影？为什么？

8. 你最近看了哪部电影？电影讲什么？

9. 你喜欢读书吗？你最喜欢哪一本书？

10. 你最近在读哪本书？这本书讲什么？

11. 你参加了哪些兴趣班？

12. 爱好重要吗？为什么？

13. 学习和爱好哪一个更重要？

14. 你觉得哪些爱好比较健康？为什么？

15. 你觉得哪些爱好不太适合中学生？

16. 请讲一讲某一种爱好的好处和坏处。

五

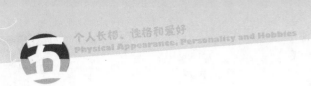

一、填空　Fill in the blanks in Chinese

1. 哥哥参加了许多体育活动，如游泳、＿＿＿＿＿＿、＿＿＿＿＿＿、＿＿＿＿＿＿和＿＿＿＿＿＿。

2. 学校的音乐室里有各种乐器，有小号、＿＿＿＿＿＿、＿＿＿＿＿＿、＿＿＿＿＿＿和＿＿＿＿＿＿。

3. 暑期美术班包括油画班、＿＿＿＿＿＿和＿＿＿＿＿＿。

二、翻译　Translation

1. I began to play table tennis when I was 10 years old.

2. Mom likes to dance.

3. Do you have any extracurricula activities this term?

4. I play tennis twice a week.

5. Grandpa takes a one-hour walk every day.

三、写一写你的某一种爱好，包括：
Describe a hobby of yours. You should include:

你的爱好是什么？

你什么时候开始的？

你为什么喜欢这个活动？

你觉得爱好重要吗？为什么？

四、续写　**Continuous writing**

小明的爱好是骑自行车，可是有一天他把自行车卖了

五、读一读，写一写　Read the following text and state your own opinion

我的儿子是一个超级网虫，每天大部分时间都花在电脑上了。他可以连续三天三夜在网上玩儿游戏，吃饭也是边玩儿边吃。互联网真不是什么好东西，使我儿子的学习成绩和身体都差了很多，他慢慢地不会在日常生活中与人正常交往。他对其他爱好和网下的朋友已经没有了兴趣；在家里，他也很少和我讲话，他的心里只有网和他的网友。他是不是病了？他需要去看看心理医生吗？

我的外号叫网虫，我的爱好是上网。在网上我玩儿游戏、聊天儿、写博客、买卖东西、看新闻。我在网上有不同的名字、不同的性格，好像孙悟空有七十二变。没有朋友有什么关系？我有很多网友。我还可以在网上学到很多有用的东西。昨天家里的电脑坏了，我一天没上网，天呀，真像是世界末日。

NOTES

心理医生　xīnlǐ yīshēng　psychiatrist
博客　bókè　blog
孙悟空　Sūn Wùkōng　Monkey King
世界末日　shìjiè mòrì　the end of the world

上网的好处	上网的坏处

一、回答问题　Answer the questions in Chinese

1. 这个学生每天什么时候打篮球？

2. 谁经常给这个学生讲篮球比赛的故事？

3. 为什么这个学生不想当篮球运动员？

4. 这个学生为什么认为爱好重要？

二、回答问题　Answer the questions in English

1. When did Mr. Zhang start fishing?

2. Describe three interesting aspects of fishing.

3. Does Mr. Zhang usually catch a lot of fish in the sea?

4. What does he usually do with the fish he catches?

5. Why does Mr. Zhang not eat the fish that he catches?

第二十一课 动物

Animals

1. 动物　dòngwù
2. 宠物　chǒngwù
3. 宠物店　chǒngwù diàn
4. 生肖　shēngxiào
5. 鼠　shǔ
6. 牛　niú
7. 虎　hǔ
8. 兔　tù
9. 龙　lóng
10. 蛇　shé
11. 马　mǎ
12. 羊　yáng
13. 猴　hóu
14. 鸡　jī
15. 狗　gǒu
16. 猪　zhū
17. 狮子　shīzi
18. 大象　dàxiàng
19. 熊猫　xióngmāo

20. 鸭　yā
21. 猫　māo
22. 鸟(儿)　niǎor
23. 鱼　yú
24. 虫　chóng
25. 养/喂　yǎng/wèi
26. 送　sòng
27. 猫食　māo shí
28. 狗食　gǒu shí
29. 干净　gānjìng
30. 脏　zāng
31. 笼子　lóngzi
32. 玩耍　wánshuǎ
33. 洗澡　xǐzǎo
34. 换水　huàn shuǐ
35. 清洁　qīngjié
36. 大便/小便
　　dàbiàn/xiǎobiàn
37. 可爱　kě'ài

Reading
Comprehension

一、判断正误 True or false

你想做它们的主人吗？

我家的白猫美美两个月前生了三只小猫，两只公的，一只母的，它们非常可爱：圆圆的眼睛，一只黄，一只蓝；尖尖的耳朵；粉红的鼻子；雪白的长毛。如果你有爱心，又有地方养它们，请打电话和我联系，电话是58762345。你还可以在网上看到小猫的照片，网址是www.mycats.com。

王小东

8月2日

1 ▶ 美美两个月大。 ☐

2 ▶ 一只小猫是黄的，一只小猫是蓝的。 ☐

3 ▶ 只要你有爱心，就可以得到小猫。 ☐

4 ▶ 王小东是小猫的主人。 ☐

NOTES

主人	zhǔrén	master
粉红	fěnhóng	pink
联系	liánxì	to contact

二、 **回答问题** Answer the questions in Chinese

寻找**爱犬**

本人的北京狗牛牛昨天下午四点在中山公园玩儿的时候不见了。牛牛一身棕色长毛，黑黑的眼睛，戴着项圈，项圈上写有"牛牛"两个字。如果你知道它在哪儿，请同我联系，将有重谢。

联 系 人：李先生

联系电话：49879987

电子邮箱：ll@hotmail.com

李先生

9月5日

NOTES		
寻找	xúnzhǎo	to look for
项圈	xiàngquān	collar

?1. 牛牛是什么动物?

?2. 牛牛长什么样儿?

?3. 牛牛是在哪儿丢的?

?4. 牛牛是在哪天丢的?

?5. 什么是"重谢"?

三、回答问题 Answer the questions in English

英国的一个护士安(Ann)在圣诞节收到的礼物是一只可爱的小猪。安说:"看到它的时候,我高兴得说不出话来,因为它长得和电影《小猪贝贝》(Babe)中的那只小猪很像。"儿子说它是不会长大的迷你猪。小猪住在花园里。它很聪明,从不在房子里大小便,还会同人玩儿。但是十九个月过后,小猪长得又高又大,身长一米左右,体重一百五十九公斤。花园太小了,安不得不为小猪找新主人。安说她希望能给小猪找一个有爱心的主人。因为猪一般可以活三十年,而它现在才一岁多,安不希望它被别人吃了。安还希望以后每星期可以去看小猪。

1. What is Ann's occupation?

2. How old is the little pig?

3. Why was she so excited when she saw the little pig?

4. Why was the little pig described as being clever?

5. Why does Ann want to give up this little pig?

6. What was Ann's last wish before giving up the little pig?

四、回答问题　Answer the questions in English

　　史诺比（Snoopy）是世界上最出名的狗，它是《花生漫画》(Peanuts)中的主角。它有一个大肚子，还有一双长长的黑耳朵。家中有七个兄弟姐妹。1977年它还曾经订婚。它受欢迎的原因是它拥有人的性格和幽默感，想干什么就干什么。它对男孩子说话很不客气，对女孩子却特别好。它喜欢写小说和弹钢琴，还喜欢在狗屋顶上做白日梦。它还是运动能手，滑冰滑得特别好。

　　史诺比的故事五十多年来一直风行全球，因为作者以小孩子的口气讲大人的世界，故事中充满了幽默、童真和同情心。

　　英文名字：Snoopy

　　出生日期：1950年10月4日

　　最喜欢的食物：薄饼、巧克力、雪糕

　　最怕的东西：邻居的猫

　　爱好：滑冰、打橄榄球、打棒球

　　（改编自香港《太阳报》）

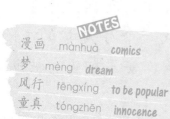

NOTES

漫画　mànhuà　comics
梦　mèng　dream
风行　fēngxíng　to be popular
童真　tóngzhēn　innocence

1. In which book is Snoopy the main character?

2. What happened to Snoopy in 1977?

3. What is Snoopy's character?

4. Name three of Snoopy's hobbies.

5. Why are the stories of Snoopy so popular?

五、填空 Read the following text and fill in the blanks in Chinese

玉皇大帝 Yùhuáng Dàdì
Jade Emperor

　　玉皇大帝要选十二种动物做生肖，动物们听说了都想当。老鼠和猫是好朋友，它们准备一起去报名。可是第二天早上，老鼠起床时，看到猫还在睡觉，就自己去见玉皇大帝了。玉皇大帝最后要了猴、牛、猪、兔、龙、鼠、马、羊、蛇、鸡、狗和虎。

　　猫起床时已经是中午了，玉皇大帝走了。猫很生气，认为老鼠不够朋友。从那天开始，猫一见到老鼠就要吃了它。

请按生肖顺序填写：

鼠、＿＿＿、虎、兔、龙、蛇、＿＿＿、＿＿＿、猴、鸡、＿＿＿和猪。

六、重新排列句子 Put the sentences in order

a. 两个星期后，小鸟儿开始在笼子里跳来跳去，好像要出来。 ☐

b. 小鸟儿好像很饿，腿也受伤了。 ☐

c. 有一天，我在窗前看到一只小鸟儿。 1

d. 小鸟儿飞走之前，不停地唱着，好像在说："谢谢！" ☐

e. 我把小鸟儿带回家，给它喂了小米和水。 ☐

f. 我不得不把笼子打开，把小鸟儿放走了。 ☐

g. 我还找了一个小笼子让它睡觉。 ☐

h. 从那以后，每年的春天它都会回来看我。 ☐

七、多项选择 Multiple choice

明明是一只狗，长长的黄毛、黑黑的圆眼睛、粉红的舌头。它性格很温和，喜欢和人玩儿。它一岁的时候被选为狗医生，一个星期去医院两次，看望一些住院的大人和小孩儿。它会和病人握手，还会表演跳舞和用两条腿走路。很多病人见到它后，心情好了很多。小孩儿更愿意同它一起玩儿。明明不仅为病人带来了欢笑，还让他们感受到了爱。

NOTES
舌头	shétou	tongue
温和	wēnhé	gentle
握手	wòshǒu	to shake hands
欢笑	huānxiào	laughter

1.明明一个星期去医院两次看＿＿＿＿＿。

　① 医生　　　② 病人　　　③ 病　　　④ 书

2.下面哪个词不是明明的性格？

　① 温和　　　② 友好　　　③ 温柔　　　④ 凶

3.明明使病人＿＿＿＿＿。

　① 生气　　　② 开心　　　③ 灰心　　　④ 心急

4.明明会＿＿＿＿＿。

　① 玩儿球　　② 拍手　　　③ 跳舞　　　④ 踢球

八、填空 Fill in the blanks in Chinese

1.一 ＿＿＿ 猫　　　2.一 ＿＿＿ 老鼠　　　3.一 ＿＿＿ 龙

4.一 ＿＿＿ 狗　　　5.一 ＿＿＿ 鸟儿　　　6.一 ＿＿＿ 鸡

7.一 ＿＿＿ 牛　　　8.一 ＿＿＿ 兔子　　　9.一 ＿＿＿ 鱼

10.一 ＿＿＿ 猪　　　11.一 ＿＿＿ 大象　　　12.一 ＿＿＿ 虾

13.一 ＿＿＿ 虫　　　14.一 ＿＿＿ 熊猫　　　15.一 ＿＿＿ 马

16.一 ＿＿＿ 蛇　　　17.一 ＿＿＿ 老虎　　　18.一 ＿＿＿ 鸭

1. 你养过宠物吗?

2. 你养过哪些宠物? 你的宠物叫什么名字?

3. 你的宠物长什么样儿?

4. 你的宠物几岁了?

5. 你每天为宠物做些什么?

6. 你最喜欢养什么宠物? 为什么?

7. 养宠物有什么好处? 有什么坏处?

一、填空　Fill in the blanks in Chinese

1. 我这两年收集了不少生肖邮票,我现在有蛇票、_____、

_____、_____和_____。

2. 我小时候养过不少宠物,我养过狗、_____、_____、

_____和_____。

3. 北京动物园里有很多动物,我这次去看了狮子、_____、

_____、_____和_____。

二、翻译 Translation

1. My cat was a birthday gift from my uncle.

   _____

2. I walk my dog half an hour a day.

   _____

3. My rabbit eats a lot everyday.

   _____

4. My gold fish died last night.

   _____

5. My cat gave birth to two kittens last week.

   _____

三、给你的笔友写一封信，讲一讲你的宠物，包括：
Describe your pet to your pen pal through a letter. You should include:

你养了什么宠物？

宠物叫什么名字？

它是从哪儿来的？

你经常为宠物做些什么？

养宠物有什么好处？

四、续写　Continuous writing

我的邻居养了一只小老虎,一天

....

....

....

....

....

....

....

....

一、回答问题　Answer the questions in English

1. Why did the author's mother buy him a dog?

2. What is the dog's name?

3. What does the dog look like?

4. What does the dog like to do?

5. What does the dog hate to do?

二、回答问题　Answer the questions in Chinese

1. 小仓鼠的毛是什么颜色的?

2. 小仓鼠是谁养的?

仓鼠　cāngshǔ　hamster

3. 昨天，这家人做了什么?

4. 最后他们在哪儿找到小仓鼠?

时事和社会问题
Current Affairs and Social Issues

第二十二课 媒体和现代通讯
Media and Modern Communication

1. 媒体 méitǐ
2. 网络 wǎngluò
3. 互联网 hùliánwǎng
4. 上网 shàngwǎng
5. 博客 bókè
6. 谷歌 Gǔgē
7. 雅虎 Yǎhǔ
8. 节目表 jiémù biǎo
9. 广播 guǎngbō
10. 新闻 xīnwén
11. 广告 guǎnggào
12. 访问 fǎngwèn
13. 国际 guójì
14. 电视剧 diànshìjù
15. 连续剧 liánxùjù

16. 卡通片／动画片
    kǎtōngpiàn／dònghuàpiàn
17. 科幻片 kēhuànpiàn
18. 惊险片 jīngxiǎnpiàn
19. 恐怖片 kǒngbùpiàn
20. 爱情片 àiqíngpiàn
21. 武打片 wǔdǎpiàn
22. 动作片 dòngzuòpiàn
23. 历史片 lìshǐpiàn
24. 故事片 gùshipiàn
25. 纪录片 jìlùpiàn
26. 观众 guānzhòng
27. 听众 tīngzhòng
28. 报纸 bàozhǐ
29. 杂志 zázhì

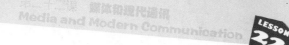

NOTES
锦标赛　jǐnbiāosài　championship
精彩片断　jīngcǎi piànduàn
　　　　　highlight
财经报道　cáijīng bàodào
　　　　　business report

一、填空　Fill in the blanks in Chinese

长城电视中文台

时间	节目
6:00	晚间新闻及天气预报
6:30	动画片：西游记
7:00	亚洲美食
7:40	名人访问：李安
8:40	世界跳水锦标赛精彩片段
9:00	外国人唱中国歌电视大赛
10:30	电视连续剧：北京人在纽约
11:00	新闻十分钟
11:30	中国财经报道
12:00	国家地理：眼镜蛇

1. 如果你想了解中国的野生动物，你应该看＿＿＿＿＿＿。

2. 如果你对烹饪感兴趣，你应该看＿＿＿＿＿＿。

3. 如果你想看一看海外华人在国外的生活和工作的情况，你应该看

　　＿＿＿＿＿＿。

4. 如果你很关心周围发生的事情，你会看＿＿＿＿＿　和　＿＿＿＿＿。

5. 如果你关心中国的经济，你应该看＿＿＿＿＿。

6. 如果你是体育爱好者，你应该看＿＿＿＿＿。

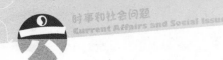

二、填空　Fill in the blanks with the words in the box

1. 每次小山带我去看的电影都让我吓得大叫，几天睡不好觉。小山喜欢看_____。

2. 米老鼠(Micky Mouse)是小方的最爱，他喜欢看_____。

3. 小明喜欢看的电影离不开外星人、机器人，他喜欢看_____。

4. 小东觉得电影一定要好笑，他喜欢看_____。

5. 小林练过武术，喜欢成龙，他喜欢看_____。

6. 小力对一些军事题材的电影感兴趣，他喜欢看_____。

7. 美美开始约会了，所以她看的电影大部分讲的是发生在男女之间的故事，她喜欢看_____。

8. 小欢喜欢电影里的演员们又唱又跳，她喜欢看_____。

9. 小文对以前的真人真事特别感兴趣，她喜欢看_____。

10. 小云每次都是边看电影边擦眼泪，她喜欢看_____。

❶科幻片	❷动作片	❸惊险片	❹战争片	❺爱情片
❻卡通片	❼历史片	❽喜剧片	❾悲剧片	❿歌舞片

三、多项选择　Multiple choice

妈妈：

　　我今天晚上要去_____（❶参加 ❷参观 ❸参考 ❹参见）同学小华的生日会，所以不能看今晚的英超总_____（❶预赛 ❷决赛 ❸比赛 ❹复赛）。比赛今晚十点在北京_____（❶电视剧 ❷电视台 ❸电视片 ❹电视机)播出，您能不能帮我用_____（❶录像机 ❷录音机 ❸收音机 ❹摄像机）录下来？谢谢！

小明

5月6日

四、填空　Fill in the blanks in Chinese

以下是 2006 年 12 月 28 日北京某报纸的内容提要：

国内新闻 .... 第一页
国际新闻 .... 第五页
体育新闻 .... 第七页
财经新闻 .... 第九页
科技新闻 .... 第十五页
文教新闻 .... 第十六页
娱乐新闻 .... 第十八页
副刊 .... 第二十页
广告 .... 第二十三页
天气预报 .... 第二十五页

NOTES

财经	cáijīng	finance and economy
文教	wénjiào	culture and education
副刊	fùkān	supplement

标题	页数
1　美国《时代周刊》今年的风云人物	第 _____ 页
2　今天北京小部分地区会有小雪	第 _____ 页
3　北京中学生书法比赛在十一中学举行	第 _____ 页
4　金丝猴住进北京动物园	第 _____ 页
5　中国选手在游泳世锦赛十米跳台比赛仅获得了银牌	第 _____ 页
6　全球经济气候	第 _____ 页
7　《黑白森林》进军好莱坞	第 _____ 页
8　最新电脑	第 _____ 页
9　招聘饭店服务员三名	第 _____ 页
10　早餐吃冷食易伤胃	第 _____ 页

五、判断正误　True or false

　　每天YouTube上出现的短片有几万个，它越来越受到全世界网民的欢迎。怎样才能在YouTube上走红呢？除了需要运气外，还要花心思。一个三十岁的美国男子环球旅行时，在十七个不同地点自拍跳舞短片，一放到网上马上就红了起来。有口香糖公司出钱让他拍第二次跳舞之旅，吸引了四百万人观看。现在他正在计划第三次跳舞之旅。另外两个美国年轻人拍的宠物短片，在网上大受欢迎，有一千万人观看。他们现在不但每星期为互联网公司拍两条短片，还在网上卖自己做的汗衫。

NOTES

运气	yùnqì	luck
心思	xīnsi	thinking
环球	huánqiú	around the world
口香糖	kǒuxiāngtáng	chewing gum

1. 只要你有运气，就可以在网上走红。　☐
2. 三十岁的美国男子在美国的十七个地方拍跳舞短片。　☐
3. 三十岁的美国男子已经完成了两次跳舞之旅。　☐
4. 两个美国年轻人拍了运动短片。　☐
5. 这两个美国年轻人现在帮互联网公司卖汗衫。　☐

六、配对　Match the words on the left to the definitions on the right

《阳光小小姐》(*Little Miss Sunshine*)讲的是一家六口带着七岁的小女儿选美的故事。故事中的一家人，每个人的性格都不完美，每个人都有问题——吸毒、自杀、失业等。但是为了小女儿，他们坐上破旧的黄色面包车，开始了他们的旅行。一路上，他们为了小事吵吵闹闹，老爷车又经常坏。虽然一家人最后没有一个赢家，但是他们体会到人生的出路不只有一条，也感受到了亲情与生活的美好。《阳光小小姐》虽然是一部公路喜剧片，但是使观众笑中有泪，剧情幽默又温情。它使我们每一个观众认识到，做自己喜欢做的事，不需要别人的认同。

NOTES		
故事	gùshi	story
吸毒	xīdú	to take drugs
自杀	zìshā	to commit suicide
破旧	pòjiù	old and shabby
赢家	yíngjiā	winner
认同	rèntóng	to approve

A

1. 选美
2. 完美
3. 面包车
4. 老爷车
5. 幽默
6. 赢家

B

a. 很漂亮
b. 比赛中得胜的一方
c. 有意思或可笑
d. 美女比赛
e. 没有缺点
f. 式样很老或很旧的车
g. 长方形旅行车
h. 卡车

七、回答问题　Answer the questions in English

香港最近作的一项调查发现，香港人最不信的广告是减肥用品广告，其次是瘦身中心的广告，排在第三的是生发广告。而港人最信任的广告分别是电影广告、银行服务广告、食物及饮料广告。

同时港人认为网上的广告不可信，他们更相信电台广播和不收费电视台的广告。

NOTES

调查	diàochá	survey
减肥	jiǎnféi	to lose weight
生发	shēng fà	hair regrowth

1. Where was the survey conducted?

2. What are the three most believable product/service advertisements?

3. What is the most unbelievable product/service advertisement?

4. What is the most believable advertising media?

5. What is the most unbelievable advertising media?

八、判断正误　*True or false*

越来越多的人现在可以在互联网上交朋友。在网上，没有人会知道你是谁或你的性别、年龄、国籍和职业，也没有人知道你长什么样儿。你想说什么就可以说什么，不高兴了可以下线就走。不过因为网上什么人都有，所以未成年人要特别小心。除非得到父母的同意，不要把自己的真实姓名、电话号码、住址和电子邮箱告诉网上的任何人，更不要轻易同网友见面。

1 在网上没有人知道你是男还是女。　□

2 你不可以在网上随便改变自己的国籍。　□

3 网上可能有坏人，十八岁以下的青少年要小心。　□

4 你只可以给网友你的电子邮箱。　□

5 你最好不要同网友见面。　□

1. 你经常上网吗?

2. 你每天花多少时间上网?

3. 你一般在网上做什么?

4. 你经常看电视吗? 一般看什么电视节目?

5. 你喜欢看报纸吗? 看什么报纸?

6. 你喜欢看杂志吗? 看什么杂志?

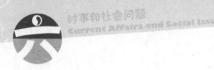

写作
Writing

一、填空　Fill in the blanks in Chinese

媒体对青年人的影响很大，他们喜欢的媒体包括互联网、

_____、_____、_____和_____。

二、翻译　Translation

1. I like to read sports magazines.

_____

2. Have you watched TV today?

_____

3. What is the news on TV today?

_____

4. I only read news from the internet.

_____

5. Do you believe the advertisements in the newspapers?

_____

三、写一写你最爱看的杂志，包括：
Describe your favorite magazine. You should include:

你最喜欢看
什么杂志？
为什么？

你一般什么
时候看杂志？

你看哪
些内容？

看杂志有
什么好处？

四、续写　Continuous writing

在今天的报纸的第一页上，有我爸爸的照片

一、回答问题　Answer the questions in English

1. What is this conversation about?

2. What was the final result and which team won the match?

3. What are the main weaknesses of the Chinese national team?

4. What is the next sporting event?

5. Which television channel will broadcast this event?

二、判断正误　True or false

1. 西方报纸上每天有很多假新闻。 □

2. 四月一日的一份报纸说，英国的首相就要当演员了。 □

3. 宝马(BMW)车的广告说他们的新车不用司机。 □

4. 宝马公司的免费电话打不通。 □

5. 宝马公司和读者开了一个愚人节(April Fool)的玩笑。 □

第二十三课 名人
Celebrities

常用字词
Useful Words

1. 世界杯　shìjiè bēi
2. 奥运会　Aoyùnhuì
3. 奥斯卡　Aosīkǎ
4. 评选　píngxuǎn
5. 得奖　dé jiǎng
6. 最佳　zuì jiā
7. 诺贝尔奖
　　Nuòbèi'ěr Jiǎng
8. 名人　míngrén
9. 裔　yì
10. 主席　zhǔxí
11. 总统　zǒngtǒng
12. 总理　zǒnglǐ
13. 首相　shǒuxiàng

16. 女王　nǚwáng
15. 王子　wángzǐ
16. 公主　gōngzhǔ
17. 皇室　huángshì
18. 影星　yǐngxīng
19. 球星　qiúxīng
20. 歌星　gēxīng
21. 明星　míngxīng
22. 死　sǐ
23. 去世　qùshì
26. 捐　juān
25. 慈善机构
　　císhàn jīgòu
26. 晚会　wǎnhuì

105

一、回答问题　Answer the questions in Chinese

郎朗(Lang Lang)出生于沈阳(Shenyang)一个音乐世家，爷爷是音乐老师，爸爸拉二胡。两岁的时候，他看完动画片《猫和老鼠》，就学着猫的样子把里面的音乐弹出来了。他从三岁开始学钢琴，五岁就得了市里钢琴比赛的第一名。九岁的时候，为了学好钢琴，他和父亲离开家乡，去了北京，家里只有妈妈一人赚钱。爸爸成了"家庭主妇"，每天做饭、洗衣，骑一个小时的自行车送郎朗上学。十一岁的时候，爸爸借钱带他去德国参加钢琴比赛，他得了第一名。十七岁的时候，因为一个有名的音乐家病了，他有机会在美国的一个音乐节上演出，受到欢迎，从此走上了成名之路。他的风格轻松、愉快、热情，身体语言也很美。郎朗喜爱足球，2006年，他在德国举行的世界杯足球赛开幕式上演奏，全世界有三十亿观众观看。

NOTES

音乐世家　yīnyuè shìjiā family of musicians

二胡　èrhú erhu, a two-stringed bowed music instrument

风格　fēnggé style

开幕式　kāimù shì opening ceremony

亿　yì a hundred million

1. 郎朗出生在一个什么样的家庭？

2. 郎朗几岁开始学钢琴？

3. 在北京，郎朗的爸爸做什么工作？

4. 郎朗几岁的时候获得了国际钢琴比赛冠军？

5. 郎朗的艺术风格是怎样的？

二、回答问题 Answer the questions in English

华人导演李安(Ang Lee)1954年出生于台湾,他从小对电影非常感兴趣。在台湾,他两次没考上大学,后来去了美国学戏剧。虽然李安以第一名的成绩从纽约大学毕业,可是他没有找到工作。有六年的时间在家里带孩子、做家务,成为一名"家庭妇男"。没事儿的时候,他就开始写剧本。1990年他完成了剧本《推手》(Pushing Hands),拿到40万元的奖金,而且还第一次做了真正的导演,将《推手》拍成电影。这是一部喜剧片,讲的是台湾人在纽约的生活。后来他拍了有名的《饮食男女》(Eat Drink Man Woman)、《卧虎藏龙》(Crouching Tiger, Hidden Dragon)等有关中国文化的电影,也拍了英国维多利亚时代的《理智与感情》(Sense and Sesibility)等英语片。他的《断背山》(Brokeback Mountain)讲的是美国20世纪60年代西部牛仔的爱情故事,获得了78届奥斯卡最佳导演、最佳电影配乐、最佳改编剧本三项大奖。他的电影以优美的画面和生动的情节打动了全世界的观众,为东西方文化架起一座桥梁。

		NOTES
导演	dǎoyǎn	director
剧本	jùběn	script
配乐	pèiyuè	background music
改编	gǎibiān	to adapt; to rearrange
桥梁	qiáoliáng	bridge

1. Where was Ang Lee born?

2. What did Ang Lee do after he finished his master's in New York University?

3. What is *Pushing Hands* about?

4. Why was *Pushing Hands* so important to Ang Lee?

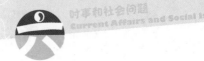

5. What Oscar awards did *Brokeback Mountain* get?

_____

6. What are the characteristics of Ang Lee's movies?

_____

三、填空　Fill in the blanks with the words in the box

在过去，只有非常出色的演员、歌星、政客和＿＿＿＿才能成为名人。不过，＿＿＿＿的出现改变了这一切。

在最近的一次网站评比中，排在第一位的网络名人是一个叫"布雷"的十六岁美少女。布雷长得甜甜的，有一双会＿＿＿＿的大眼睛。她常在家中拍短片，讲自己生活中的小事：古板的父亲、＿＿＿＿的老师、喜欢的男孩儿等。女孩儿觉得布雷就像她们的朋友，男孩儿通过布雷知道了很多女孩儿的心事，就是年纪大的人也喜欢看看她在讲些什么。很快，每天就有二十万人次观看她的短片。后来，网友发现布雷的真实＿＿＿＿——原来她是新西兰十九岁的女＿＿＿＿杰西卡，而且短片是根据剧本拍成的。尽管这样，她的短片还是最受欢迎的。现在，杰西卡已经签下＿＿＿＿，准备去好莱坞了。

① 严格　② 互联网　③ 说话　④ 身份
⑤ 演员　⑥ 片约　⑦ 运动员

NOTES
政客　zhèngkè　politician
评比　píngbǐ　competition
好莱坞　Hǎoláiwū　Hollywood

四、多项选择 Multiple choice

　　刘翔(Liu Xiang)出生于1983年，身高一米八九。他十岁时被选入区少年_____（❶艺校　❷学校　❸体校　❹夜校），练跳高和一百米_____（❶短跑　❷长跑　❸慢跑　❹助跑），十二岁时开始练习跨栏，并在一年后得到了他一生中第一个跨栏冠军。2004年8月27日，雅典奥运会男子一百一十米栏_____（❶决赛　❷预赛　❸比赛　❹半决赛）中，刘翔以十二秒九一夺得了金牌，创造了中国人在短跑项目上的神话。2006年7月12日，刘翔以十二秒八八的成绩获得田径超级大奖赛金牌，并打破了十二秒九一的世界_____（❶纪念　❷纪录　❸纪律　❹纪实）。

　　刘翔出生于上海的一个普通家庭，父亲是司机，母亲是家庭主妇。家里虽然没有很多钱，但他每次回家，妈妈总是做很多他爱吃的菜。刘翔说爸爸对他的帮助最大。当时家里人都_____（❶反常　❷反对　❸反应　❹反复）他学跨栏，只有爸爸同意。应该说，他的每块奖牌，都有着爸爸的_____（❶心血　❷心气　❸心事　❹心思）。

NOTES

跨栏　kuàlán　hurdles
秒　miǎo　second (a unit of time)
创造　chuàngzào　to create
神话　shénhuà　miracle; fairy tale

五、回答问题　Answer the questions in English

当你走在墨尔本(Melbourne)的街头，你会看到不少年轻人穿着有"约翰·苏是我兄弟"几个字的汗衫。约翰·苏就是苏震西(John So)，他是墨尔本的华裔市长，2006年12月5日，他获得"全球最佳市长"奖。他2001年当选，2004年又被选上了，是墨尔本历史上任期最长的市长。苏震西十七岁随家人从香港来到澳大利亚，在大学学了科学和教育，当过中学老师，也当过中餐馆的老板。当了市长后，为了环保，他经常走路上班，他上电视推广旅游业，还组织了很多打击犯罪的活动。在2002年、2004年和2005年《经济学人》杂志的评选活动中，墨尔本被评为全世界最适合人类居住的城市。人们都说，约翰·苏管得好厨房，也管得好一个国际大都市。

NOTES

当选	dāngxuǎn	to be elected
老板	lǎobǎn	boss
打击	dǎjī	to crack down
犯罪	fànzuì	to commit a crime
适合	shìhé	suitable

1. What award did John So get in Dec. 2006?

2. What did he study in the university?

3. As a mayor of Melbourne, what does he often do?

4. What awards did *The Economist* give to Melbourne?

六、判断正误 True or false

关颖姗(Michelle Kwan)是美籍华裔，她的父母是来自香港的移民。她曾五次登上花样滑冰世界冠军的宝座，九次夺得全美冠军。她冰上技术高超，笑容迷人，性格乐观，赢得了世界上很多观众的心，被公认为美国有史以来最伟大的花样滑冰选手，人们都喜欢叫她"冰上皇后"。

关颖姗还被任命为美国公共外交大使，去世界各地同年轻人见面，和他们对话，和他们讲美国、美国人和美国文化，使世界各国人民更多地了解美国。

1. 关颖姗的父母以前住在香港。 □
2. 她九次拿到世界冠军。 □
3. 她是一个乐观的人。 □
4. 她现在在美国大使馆工作。 □
5. 她去不同的国家，向那里的男女老少讲美国。 □

NOTES

移民	yímín	migrant; immigrant
登	dēng	to reach; to ascend
宝座	bǎozuò	throne
外交	wàijiāo	diplomacy
大使	dàshǐ	ambassador

七、回答问题　Answer the questions in Chinese

"凡·高奶奶"其实和大画家凡·高(Vincent van Goht)一点儿关系也没有，她是中国农村的一个七十三岁的普通老太太，叫常秀峰(Chang Xiufeng)。她没有上过学，也不会写字。几年前，她从老家来到广州，帮儿子带小孙女。一天，她用孙女的画笔画了一幅画儿，她的儿子发觉画得很不错，就把画儿放在网上，没想到老太太的画儿一下子在网上红了。有人说她的画儿有凡·高大师的艺术风格，她画的古树、小河、老屋和花草，真实地体现了大自然的美，让人感动。三年来，她画了一百多幅画儿。一位法国著名的摄影家也收藏了她的一幅画儿。有一家电视台采访她，问她知不知道网上有多少年轻人看过她的画儿，老太太想了想，说大约有四十多个。其实在短短的日子里，已经有八万多人看了"凡·高奶奶"的博客。现在常奶奶还是每天从早到晚做家务，只有在没事儿的时候，她才坐下来画画儿。

收藏　shōucáng
to collect

1. "凡·高奶奶"和画家凡·高有关系吗？

2. 是谁第一个发现"凡·高奶奶"画得挺好的？

3. "凡·高奶奶"的画儿里有哪些景物？

4. 为什么人们喜欢"凡·高奶奶"的画儿？

5. 在网上，有多少人看了"凡·高奶奶"的画儿？

6. "凡·高奶奶"现在从早到晚做什么？

八、配对 Match the words on the left to the definitions on the right

香港少年陈易希（Chan Yik Hei）出生于1989年，他在2004年发明了保安机器人，获得第55届美国Intel国际科学与工程大奖赛二等奖。这个机器人可以看家，如果有小偷入屋或发生火警，它可以自动报警。2005年美国麻省理工学院将一颗小行星起名叫陈易希。2006年陈易希被香港科技大学录取，成为这所大学收的第一个中五毕业生。在2007年3月举行的"2006年影响世界华人盛典"上，他和李安、刘翔一起获奖。陈易希从小活泼好动，特别喜欢问问题。他最喜欢去的地方是科学馆和天文馆，最大的爱好就是发明。他小时候学习不好，可是后来因为对发明有兴趣，必须学好英语才能看明白英文资料，同时还需要有很好的数学知识，慢慢地，他的学习成绩好起来了。

NOTES

保安	bǎo'ān	security
火警	huǒjǐng	fire alarm
盛典	shèngdiǎn	grand ceremony
资料	zīliào	material

麻省理工学院 Máshěng Lǐgōng Xuéyuàn
Massachusetts Institute of Technology (MIT)

A

1.行星
2.报警
3.发明
4.录取
5.天文馆

B

a.选定考试合格的人
b.发现新方法、新事物
c.普及天文知识的文化教育机构
d.围着太阳运行的星球
e.向警察求助

1. 你最喜欢哪个影星？你能讲一讲他/她吗？
2. 你最喜欢哪个歌星？你能讲一讲他/她吗？
3. 你最喜欢哪个球星？你能讲一讲他/她吗？
4. 你看过世界杯足球比赛吗？
5. 你喜欢哪一支乐队？为什么？
6. 你最喜欢的名人是谁？
7. 你最不喜欢的名人是谁？
8. 为什么青年人喜欢明星？
9. 你知道哪几个中国历史上的名人？
10. 请讲一讲你们国家历史上的名人。
11. 怎样才能成为网上红人？

一、写一个你喜欢的名人，包括：
Describe your favorite celebrity. You should include:

他/她的
工作

他/她的
长相

他/她的
性格

你喜欢他/
她的原因

二、翻译　Translation

1. He was awarded the best actor.

2. He died at the age of 77.

3. The American president will visit India next month.

4. Who is your favorite singer?

5. He became famous at the last World Cup.

三、续写　Continuous writing

今天下午，很多记者来我家，他们说

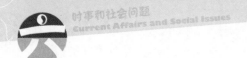

一、回答问题　Answer the questions in English

1. Did Li Yuchun win the Super Girl Competition?

2. How did the audience vote for her?

3. What does she look like?

4. Why do people like her?

5. What name do Li's fans call themselves?

二、问答问题　Answer the questions in Chinese

1. 丽丽准备去哪里？她去做什么？

2. C.朗拿度是谁？他几点钟到？

3. 丽丽知道C.朗拿度哪些事情？（写出三项）

4. 丽丽的朋友昨天晚上去了什么地方？

第二十四课　环境问题
Environmental Issues

常用字词 Useful Words

1. 保护　bǎohù
2. 地球　dìqiú
3. 大自然　dàzìrán
4. 自然保护区　zìrán bǎohùqū
5. 节约　jiéyuē
6. 节能　jiénéng
7. 水土流失　shuǐtǔ liúshī
8. 酸雨　suānyǔ
9. 温室效应　wēnshì xiàoyìng
10. 全球暖化　quánqiú nuǎnhuà
11. 污染　wūrǎn
12. 垃圾　lājī
13. 噪音　zàoyīn
14. 浪费　làngfèi
15. 回收　huíshōu
16. 罐头　guàntou
17. 塑料　sùliào
18. 纸盒　zhǐhé
19. 植树　zhíshù
20. 废气　fèiqì

阅读理解 Reading Comprehension

一、回答问题　Answer the questions in Chinese

　　昨天晚上,西岛中学在礼堂举行了环保时装表演比赛。比赛的选手们都穿上自己设计的衣服,而那些衣服都是用旧报纸、旧杂志、汽水罐、饭盒、塑料袋等生活垃圾做成的。最后,

NOTES

树叶　shùyè　leaf
课余　kèyú　after school
前卫　qiánwèi　avant-garde; fashionable
和平　hépíng　peace

十年级的马丽丽同学获得了第一名。她用一次性的桌布、树叶和光碟做了一条漂亮的连衣裙。她说为了这次比赛，一个月里，她和朋友们在课余时间收集了大量生活垃圾。那些不起眼的废物，在他们手中变成了美丽、前卫的时装。马丽丽准备把奖金中的五百元捐给"绿色和平"组织，另外五百元存入银行。

1. 昨天晚上，西岛中学在哪儿举行了时装比赛？

2. 这个环保时装比赛和普通时装比赛有什么不同？

3. 马丽丽的连衣裙是用什么做的？

4. 马丽丽为了这次比赛忙了多长时间？

5. 马丽丽拿到了多少奖金？

二、回答问题　**Answer the questions in Chinese**

　　我妈妈已经二十年没有回过家乡了。她每次说起家乡的景色时，都好像在讲一幅山水画：清清的小河、墨绿色的森林，还有银色的星星和月亮。今年夏天我去旅行，正好路过妈妈的家乡，就下车去看了看，打算拍几张照片送给妈妈做纪念。拿着地图，我终于找到了妈妈出生的地方。我看到的景色却和妈妈说的一点儿也不一样——到处是工厂，河水又黑又臭，河边的植物都黄了，天空灰灰的，好像有一层雾。我一张照片也没拍，因为我不想让妈妈伤心，我希望在她心中家乡一直是那么美丽。

1. 作者的妈妈是不是有一幅家乡的山水画？

2. 作者准备去妈妈的家乡做什么？

3. 作者看到的景色和妈妈说的一样吗？

4. 作者看到了什么？

5. 作者为什么没有拍照？

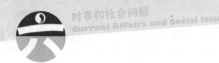
三、填空　**Read the following text and fill in the form in Chinese**

李英：这个中秋节你有什么活动？

王东：中秋节的晚上我会去外婆家赏月，第二天我和同学会去东区海滩参加世界清洁日的活动。

李英：你们会做些什么？

王东：中秋节过后，海滩上和公园里到处都是人们留下的塑料袋、快餐盒、旧报纸、果皮等，我们会清理这些垃圾。

> 清理　qīnglǐ　clear (up)

李英：还会有什么人参加这个活动？

王东：有很多市民参加，包括长者、中小学学生等。

李英：我也想参加，怎么报名？

王东：你要在八月二十日之前填好报名表，并为环保筹到一百元钱。

> 筹　chóu　to raise (money)

世界清洁日	
时间	
地点	
活动内容	
参加的人	
报名时间	
报名方法	

四、回答问题　Answer the questions in English

中国四川有一片美丽的竹林，住着一百五十只黑熊，这里是亚洲动物基金会的黑熊救护中心。黑熊的上身有一道新月形的金毛，所以又叫月熊。由于它们的胆汁可以做中药，因此很多黑熊以前被关在小笼子里，不能活动，也无法站立；肚子上有一个口子，每天被人抽胆汁，非常痛苦。工作人员把黑熊带到救护中心后，先要给它们看病。病好后，工作人员会根据黑熊的年纪、健康和性格，把它们送到不同的生活区。它们可以在草地上玩儿玩具、爬树，也可以去游泳池内玩儿水。黑熊在这里开始了它们健康、快乐的新生活。

NOTES

基金会	jījīnhuì	foundation
救护	jiùhù	rescue
胆汁	dǎnzhī	bile
抽	chōu	to draw; to pump
痛苦	tòngkǔ	pain; suffering

1. Why are these black bears also called moon bears?

2. How did they suffer before?

3. What will the volunteer workers do when the bears are taken to the shelter?

4. How about their lives now?

五、填空　Fill in the blanks with the words in the box

_____同学，为了把我校建成一所_____学校，我们将在这学期举办许多活动，使学生们感受到环保的重要性。活动包括：废纸、_____回收比赛，参与种树计划，参观农场和_____保护区，举办校内环保_____，去海滩捡_____，组织学生编写环保杂志和网页以及评选学生环保_____。希望大家积极参加。如果同学们还有其他建议，请告诉你们的班主任或_____。

NOTES

废纸　fèizhǐ　**used paper**
农场　nóngchǎng　**farm**
班主任　bānzhǔrèn　**form tutor**

❶ 展览　❷ 汽水瓶　❸ 垃圾　❹ 校长
❺ 绿色　❻ 大使　❼ 各位　❽ 自然

六、判断正误　True or false

NOTES

冲水　chōng shuǐ　**to flush the toilet**
重视　zhòngshì　**to pay attention to**
电池　diànchí　**battery**
发电机　fādiànjī　**generator**

伦敦市长利文斯通(Ken Livingstone)说，为了省水，他和家人已经有十五个月小便后不冲水了。他希望伦敦市民都像他一样，养成小便后不冲水的习惯。他说伦敦人用水很多，每年冲厕所的水占总用水量的三分之一，因而不冲小便可以节约四分之一的用水。利文斯通很重视环保，他在家里和市政厅装了太阳能电池，还准备在家里安一个风力发电机。

❶ 利文斯通和家人已经有一年多大便后不冲水了。　□
❷ 利文斯通希望伦敦市民向他学习。　□
❸ 伦敦人很注意节约用水。　□
❹ 利文斯通家里安装了太阳能电池和风力发电机。　□

七、回答问题　*Answer the questions in English*

　　　全球暖化使气候变得很不正常。比如，经常发大水、下暴雨，有时又高温少雨，严重影响了我们每个人的生活。我们怎样做才可以防止全球暖化呢？

　　　多种树。

　　　少用热水。

　　　换一个节能灯。

　　　将家里的垃圾送去回收。

　　　多走路、骑自行车或使用公共交通工具。

　　　冬天将暖气的温度调低两度，夏天将冷气的温度调高两度。

　　　不用的时候，关掉电视机、电脑等电器。

　　　如果你做了以上几件事，你就已经为防止全球暖化出了力。

1. How does global warming affect our life?

_____

2. Name three things that you can do to protect the environment.

_____

1. 你参加过学校的哪些环保活动？

2. 为了保护环境，你可以做些什么？

3. 在家里要注意哪些环保问题？

4. 你住的城市污染严重吗？

5. 哪些国家环境污染比较严重？

写作 Writing

一、翻译　Translation

1. Turn off the light, please.

_____

2. No smoking.

_____

3. We donated 20 000 US dollars to Animal Asia Foundation last year.

_____

4. We should use public transportation.

_____

5. The pollution becomes more and more serious.

_____

二、学校将组织一次环保活动。你是学生会主席，请你写一个通知，包括：

As the president of the student union, write a notice to inform students of the school-organized environmental protection activity. You should include:

活动的内容和目的

时间

地点

其他

三、写一个绿色生日会，包括：
Describe an environmentally friendly birthday party. You should include:

生日会在
哪一天？

收到了哪些
绿色礼物？

生日会有
哪些活动？

四、续写 Continuous writing

2100年1月，因为污染，地球上

一、回答问题　**Answer the questions in English**

1. What is the traditional wedding?

2. What is the environmentally friendly wedding?

3. What are the advantages of the environmentally friendly wedding?

二、回答问题　**Answer the questions in Chinese**

1. 中华白海豚(Indo-Pacific hump-backed dolphin)生活在哪儿?

2. 成年的中华白海豚是什么颜色?

3. 为什么中华白海豚的数量越来越少?

第二十五课　成长的烦恼
Growing Pains

常用实词
Useful Words

1. 成长	chéngzhǎng	12. 逃课	táokè
2. 烦恼	fánnǎo	13. 自杀	zìshā
3. 青春期	qīngchūnqī	14. 自信心	zìxìn xīn
4. 压力	yālì	15. 缺少	quēshǎo
5. 恋爱	liàn'ài	16. 吵架	chǎojià
6. 感情	gǎnqíng	17. 打架	dǎjià
7. 沟通	gōutōng	18. 暴力	bàolì
8. 抽烟	chōu yān	19. 色情	sèqíng
9. 喝酒	hē jiǔ	20. 犯罪	fànzuì
10. 吸毒	xīdú	21. 欺负	qīfu
11. 偷东西	tōu dōngxi		

阅读理解
Reading
Comprehension

一、填空　Fill in the blanks with the words in the box

　　我是个＿＿＿＿＿，爸爸是新西兰人，妈妈是中国人。爸爸总是好说话，他好像我的朋友＿＿＿＿＿，干什么事之前都会问问我喜欢不喜欢。妈妈在家像一个＿＿＿＿＿，她说的话总是对的。她一定要我学小提琴；她给我找了＿＿＿＿＿教我中文；她不许我吃薯条和巧克力，说我太胖了。每次我问她"为什么"，她的回答总是"这都是为你好"。我知道她很爱我，她为我什么都愿意做。我也知道她说的也有_____，可是我已经不是小孩子了，我希望在很多事情上可以自己_____。就是做错了，我也可以学到很多_____。

① 家庭教师　② 女皇　③ 混血儿　④ 一样

⑤ 东西　⑥ 道理　⑦ 做主

二、回答问题　Answer the questions in Chinese

我经常写日记，高兴的时候写，生气的时候也写。可是最近却发现有人动了我的日记，我想一定是妈妈。所以我就在日记里写：我很想吃妈妈做的牛肉面，好久没吃了。果然，当天晚上，妈妈就做了牛肉面。我很生气，虽然妈妈很爱我，可是她应该尊重我，她想知道我在想什么，应该找时间和我谈天，大家讲一讲心里的想法，而不是偷看我的日记。我在日记的最新一页写道："虽然你很关心我，可是我对你很失望。"我准备以后用法语写日记，这样妈妈就不会知道我写什么了，而且我的法语水平还会提高。

NOTES

尊重　zūnzhòng　to respect
失望　shīwàng　disappointed

❓1. 作者一般在什么时候写日记？

_____

❓2. 作者怎么知道妈妈偷看了她的日记？

_____

❓3. 作者认为妈妈对不对？

_____

4. 妈妈应该怎样做才能知道女儿的想法？

5. 作者以后打算怎么办？

三、填表　Read the following text and fill in the form in Chinese

记者：请您讲一下当时的情况。

店主：当时是下午五点半左右，我正忙，有很多客人在买文具。我看到有两个穿校服的中学生走进来，他们走到店的后面，在那里待了很长时间。

记者：您怎么发现他们偷东西的？

店主：我觉得他们表情不一般，就特别注意他们。我们在店里装了摄像机，所以我可以看到店里的各个地方。

记者：他们偷了什么东西？

店主：他们偷了三部计算器和一盒笔。

记者：发现他们偷东西，您做了什么？

店主：他们想跑，所以我报了警，警察把这两个学生带去了警察局。

记者：您对这种事情有什么看法？

店主：我为他们和他们的家长感到难过。他们还年轻，应该走正路。

NOTES
表情　biǎoqíng　expression
难过　nánguò　to feel sorry
正路　zhènglù　right way

时间	
地点	
人物	
经过	
结果	

四、多项选择　Multiple choice

亲爱的知心姐姐：

　　你好！

　　我喜欢上一个女孩子，她既＿＿＿＿＿（❶活泼　❷活动　❸鲜活　❹生活）又漂亮，不少男孩子喜欢她。我们认识，但是＿＿＿＿＿（❶不知道　❷不会　❸不熟　❹不明白）。每次见到她，我就脸红、＿＿＿＿＿（❶心动　❷心跳　❸心事　❹心情），话也不会说了。我想告诉她我喜欢她，可是我的＿＿＿＿＿（❶样子　❷身子　❸李子　❹王子）很一般，又没有什么特长，学习也很普通。＿＿＿＿＿（❶因为　❷如果　❸所以　❹不过）她知道我喜欢她，她一定会笑话我，＿＿＿＿＿（❶和　❷或　❸如　❹但）不再理我。我时时刻刻都想见她，可是又怕见到她。我应该怎么办？

　　祝

好！

时时刻刻　shíshíkèkè
(at) every moment; hour by hour

苦恼的小林

5月8日

苦恼　kǔnǎo　frustrated

五、判断正误　True or false

NOTES
好奇　hàoqí　curious
遇到　yùdào　to encounter;
to run into

　　每个吸毒者的第一次都不同——有的因为好奇，有的因为不好意思对朋友说"不"，也有的是因为在家、在学校里遇到不开心的事……但是他们最初的想法都差不多——就一次，没关系。可是他们错了。有了第一次，就有第二次。慢慢地，他们离不开毒品了。他们开始偷东西、逃学，有的还离家出走。吸毒、抽烟和喝酒使他们的身体变差，学习成绩下降，朋友越来越少，和家人的关系越来越不好。虽然有人可以重新开始，但也有人因为毒品而死亡。

1▶ 每个吸毒的人都是因为不开心才吸毒。☐
2▶ 吸毒使他们的朋友越来越少。☐
3▶ 吸一两次毒没有什么问题。☐
4▶ 吸毒的人一般也抽烟、喝酒。☐
5▶ 吸毒对学习和家庭没有什么影响。☐

六、回答问题　Answer the questions in English

NOTES
开枪　kāi qiāng　to fire with a rifle,
pistol, etc.
同伴　tóngbàn　companion
扔　rēng　to throw
行为　xíngwéi　action; behavior

　　在美国，说起青少年暴力、犯罪问题，很多人都不能忘记电视中的一些画面：两个十几岁的中学生在操场上开枪打死了他们的老师和同学，几个小学生把他们的同伴从高楼上扔下来。根据警方的数字，这几年青少年暴力、犯罪事件一直在增长。专家们认为这是和现在的电脑游戏、电视和电影有关。

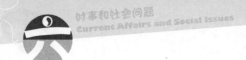

但是，专家们还认为青少年暴力也与学校和家庭环境有关。有些学生因为长相、性格、学习成绩等原因，在学校没朋友，父母又不关心他们，这些学生很容易做出一些暴力的行为。

1. What events reveal the high degree of violence among teenagers in the US?

2. What police statistics show about US juvenile delinquency?

3. What, according to experts, causes these crimes?

4. What kind of students is likely to commit crimes?

七、回答问题　Answer the questions in Chinese

知道爸爸、妈妈要离婚，我还是很伤心，虽然我知道他们在一起很不开心。爸爸搬走的那天，我很早就起床了，坐在花园里看书。五岁的妹妹把爸爸的鞋扔进了垃圾桶。爸爸走的时候亲了我和妹妹，他哭了。现在，爸爸每个周末来看我们，他会带我们去逛街，下饭馆。妈妈又结婚了，她的新丈夫对我们不错，有时还会帮我们做功课。圣诞节的时候，爸爸带着他的新女朋友来我们家庆祝，我们有了两份礼物。看着大家开心的样子，我想离了婚的家庭也不是那么可怕。

NOTES

垃圾桶	lājī tǒng	rubbish bin
逛街	guàngjiē	to go window-shopping
可怕	kěpà	terrible; terrifying

1. 爸爸搬走的时候，妹妹做了什么？

2. 作者的后父怎么样？

3. 作者为什么能收到双份礼物？

4. 作者认为离婚的家庭怎么样？

口语
Oral

1. 你和父母的关系好吗？

2. 你和父母的想法有什么不同？

3. 你有朋友吸毒/抽烟/喝酒吗？他们为什么这么做？

4. 如果看见朋友吸毒/抽烟/喝酒，你会怎么办？

5. 你们学校有学生偷东西吗？他们一般会偷什么东西？

6. 你在学校里有什么不开心的事吗？

7. 你在家里有什么不开心的事吗？

8. 如果遇到不开心的事，你会怎么办？

一、翻译 Translation

1. This movie is not suitable for teenagers.

2. If you are bullied at school, you should tell an adult.

3. Smoking and drinking are bad for your health.

4. We should say no to drugs.

5. She was very upset recently because her parents have divorced.

二、续写 Continuous writing

今天玛丽又逃课了

三、昨天你和妈妈吵架了，你很不开心。写一封信给妈妈，包括：
You were upset after quarreling with your mother yesterday. Write a letter to her. You should include:

昨天发生了什么事？

你觉得自己在这件事上有没有做错？

你觉得妈妈在这件事上有没有做错？

以后再有这种事你们应该怎么做？

听力 Listening

一、填空　Fill in the blanks in Chinese

如果你在学校受到欺负，你应该：

1. 向成年人求助，你可以告诉你的老师、＿＿＿＿、＿＿＿＿、
   教练等发生了什么事、谁欺负了你、你的＿＿＿＿。

2. 不＿＿＿＿那些欺负你的人。

3. 经常同朋友在＿＿＿＿。

4. 大声＿＿＿＿"不"。

5. 多参加一些＿＿＿＿活动。

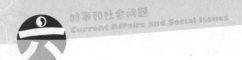

二、问答问题　Answer the questions in English

1. What was Xiao Lin's worry?

2. Is Xiao Lin a hard-working student?

3. What does Xiao Lin feel before his exam?

4. What did Mr. Wang advise Xiao Lin?

中国文化和语言

The Chinese Culture and Language

第二十六课　中国文化
The Chinese Culture

常用字词
Useful Words

1. 文明　wénmíng
2. 长江　Cháng Jiāng
3. 黄河　Huáng Hé
4. 唐　Táng
5. 宋　Sòng
6. 元　Yuán
7. 明　Míng
8. 清　Qīng
9. 政治　zhèngzhì
10. 经济　jīngjì
11. 外交　wàijiāo
12. 留学生　liúxuéshēng

13. 强　qiáng
14. 弱　ruò
15. 丝绸之路　sīchóu zhī lù
16. 国旗　guóqí
17. 大使馆　dàshǐ guǎn
18. 旗袍　qípáo
19. 中山装　zhōngshānzhuāng
20. 唐装　tángzhuāng
21. 故乡　gùxiāng
22. 大陆　dàlù

一、回答问题 **Answer the questions in Chinese**

NOTES

打鱼 dǎ yú fishing
种田 zhòngtián farming
先进 xiānjìn advanced
使节 shǐjié (diplomatic) envoy
沉睡 chénshuì to be sound asleep

　　中国位于亚洲东部，是一个文明古国，有五千年的历史和文化。早期的中国人住在黄河两边，他们靠打鱼和种田为生。到了唐代，中国成为东方最先进的国家，外国的商人、使节和留学生有数万人。元代，中国的国土比任何时候的都大，向西已经到了欧洲。当时的意大利旅行家马可·波罗就写了《马可·波罗游记》一书，讲到了当时北京等地的热闹景象。清代后期，中国的国力越来越差，又被几个西方国家欺负，成了世界上的弱国。现在，中国这头沉睡了几百年的狮子又重新醒来，在经济、科技、外交等方面都有了很大的发展，再一次成为世界上的强国。

?1. 中国在亚洲哪儿？

_____

?2. 中国有几千年的历史和文化？

_____

3. 中国在哪个朝代是东方最先进的国家?

4. 《马可·波罗游记》写的是中国哪个朝代?

5. 哪个朝代中国最弱?

6. 现在中国是一个什么样的国家?

二、判断正误　True or false

　　在西方，年轻人十八岁后就会从家里搬出去自己住。在中国，年轻人一般在结婚后才会搬走。有的家庭三代同堂，非常热闹。老人会帮着做些家务，照看孙子、孙女；老人年纪大了或生病了，年轻人要出钱、出力供养他们。随着经济的发展，越来越多的年轻人喜欢自己住，但是他们周末、假日会回父母家吃饭，也会经常带父母出去旅游。而不少老人年纪大的时候会搬去老人院，与同龄人一起住。

1. 西方青年到十八岁的时候就会离家出走。　☐

2. 三代同堂就是祖孙三代住在一起。　☐

3. 现在的中国年轻人喜欢同父母分开住。　☐

4. 老年人喜欢去老人院，因为那里的人和
他们的年纪差不多。　☐

三、回答问题　**Answer the questions in English**

练武　liànwǔ　to learn (or practise) martial arts

　　我喜欢看中国的功夫电影。在电影里，那些主角从小练武，本事很大。但是他们从来不先动手，也不会因为他们功夫好就看不起别人。他们喜欢帮助弱小，功夫对他们来说，是用来自卫和强身健体的。电影里，他们有很多朋友，他们可以为朋友做任何事情，为朋友死都可以。李小龙(Bruce Li)在电影里正直、善良，成龙(Jackie Chan)在电影里幽默、风趣，李连杰(Jet Li)在电影里动作优美。我还喜欢一部叫《功夫》(Kung Fu Hustle)的喜剧片，虽然用了不少电脑特技，可是一样让人看得心服口服。

NOTES
动手　dòngshǒu　to strike
自卫　zìwèi　self-defense
特技　tèjì　special effect

强身健体　qiángshēn jiàntǐ
to improve one's health

1. What kind of Chinese movies does the author like to see?

_____

2. Do the heroes in the movies normally attack others first?

_____

3. What do the heroes in the movies like to do for their friends?

_____

4. Who are the famous *kung fu* actors mentioned in this passage?

_____

5. What techniques were used in a comedy named *Kung Fu Hustle*?

_____

四、填空　Fill in the blanks with the words in the box

在中国古代的 _____ 里，龙是一种超自然的动物。它有蛇的 _____、兔子的 _____、牛的耳、鱼的鳞和鹿的角。它能在天上飞，也能在水中 _____。由于它的本事大，为人们带来 _____，所以古时的中国皇帝都说自己是龙，他们穿的衣服、用的物品上也有龙。普通的中国人也说自己是龙的 _____。龙在中国文化里代表了吉祥。而在西方，龙是一种坏动物，杀人 _____。所以，虽然中国的龙和西方的龙名字一样，但是实际上它们完全 _____。

NOTES

鳞　lín　fish scale
角　jiǎo　antler; horn
吉祥　jíxiáng　good luck
实际　shíjì　real; actual

❶ 子孙　❷ 游　❸ 不同　❹ 身子　❺ 放火　❻ 好运　❼ 眼睛　❽ 神话

五、判断正误　True or false

熊猫是中国的国宝，由于环境和熊猫自身的原因，熊猫的数量增长很慢。熊猫妈妈通常会生双胞胎，可是它一般只会养一只小熊猫，而另一只就会被饿死。现在，熊猫妈妈刚生下双胞胎小熊猫，科学家就偷偷地拿走一只，人工喂养，过几天再偷偷地将小熊猫换过来。熊猫妈妈慢慢地习惯了两只小熊猫的气味，再过一段时间，它就可以同时照看两只小熊猫了。

习惯　xíguàn　to get used to
气味　qìwèi　smell

▶1 熊猫妈妈每次只生一只熊猫。　☐
▶2 熊猫妈妈只给一只熊猫喂奶。　☐
▶3 熊猫妈妈在科学家的帮助下，可以同时照看两只熊猫。☐
▶4 刚开始拿走小熊猫的时候，不能让熊猫妈妈知道。　☐

六、多项选择　*Multiple choice*

1. 很多中国人在节日里会穿上传统服装，女的穿_____（❶连衣裙 ❷旗袍　❸和服），男的穿中山装或_____（❶西装 ❷外套 ❸唐装）。

2. 中国的国旗上有_____（❶红和黄　❷红和绿　❸蓝和黑）两种颜色，上边还有五颗_____（❶星星　❷月亮　❸太阳）。

3. 汉字是世界上最古老的文字之一，除了汉语以外，_____（❶德语 ❷法语　❸日语）和韩语也用汉字。

4. 十月一日是中国的_____（❶国庆节　❷儿童节　❸妇女节）。

5. 在古代，中国商人通过"丝绸之路"把香料、丝绸和_____（❶鲜花 ❷蔬菜　❸茶叶）运往_____（❶欧洲　❷非洲　❸美洲）。

6. _____（❶赛马　❷武术　❸斗牛）是中国传统的体育项目。

7. _____（❶黄河　❷长江　❸西湖）是中国第一大河，世界第三长河。

8. 长城在中国的_____（❶东方　❷南方　❸北方），有七千公里，也就是一万四千华里，所以被人们称为"（❶万里 ❷千里 ❸百里）_____长城"。

9. 《西游记》是中国最有名的长篇小说之一，主角孙悟空是一只_____（❶猪　❷猴子　❸白马），它武艺高强，可以有七十二种变化。

10. _____（❶北京　❷上海　❸广州）是中国的首都，_____（❶北京 ❷上海　❸广州）是中国人口最多的城市。

11. 中国是世界上拥有_____（❶出租车　❷自行车　❸汽车）最多的国家，被称为"自行车王国"。

12. 中国人生日的时候经常吃_____（❶面条　❷米饭　❸面包），希望长寿。

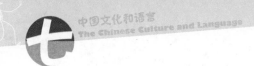
七、多项选择　Multiple choice

　　伦敦的中国城，又叫"唐人街"，位于伦敦西区的中心，是一个游览、购物和品尝美食的好去处。每一百个来伦敦的游客中，就有六十五个要来这里看一看。在中国城，除了少数英国人开的商店和酒吧外，几乎是华人的天下。这里的华人，大部分来自香港、东南亚，近几年也有不少从中国大陆来的。每到春节，中国城张灯结彩，男女老少穿上新唐装，互祝"恭喜发财"。青年人舞龙耍狮，表演中国杂技，吸引了不少当地的居民和外来游客。

NOTES

张灯结彩　zhāng dēng jié cǎi　to be decorated with lanterns and colored streamers

吸引　xīyǐn　to attract

1. 伦敦的中国城位于伦敦_____。
   ❶ 中区　　❷ 西区　　❸ 郊区　　❹ 东区

2. 游客来到唐人街，可以_____。
   ❶ 游览、吃东西和看电影　　❷ 散步、品尝美食和游泳
   ❸ 游览、吃东西和买东西　　❹ 吃中餐、听京剧和购物

3. 每100个来伦敦的游客中，平均会有_____个到中国城看一看。
   ❶ 56　　　　　　　　❷ 65
   ❸ 46　　　　　　　　❹ 64

4. 伦敦中国城的华人，大部分来自_____。
   ❶ 香港、东南亚和中国大陆　　❷ 香港、台湾和中国大陆
   ❸ 香港、澳门和东南亚　　　　❹ 香港、台湾和东南亚

5. 每到春节，中国城张灯结彩，男女老少穿上新唐装，互祝_____。
   ❶ 中秋快乐　　　　❷ 新婚快乐
   ❸ 早日康复　　　　❹ 恭喜发财

1. 中国有几千年的历史和文化？
2. 你知道哪几个中国名人？
3. 中国的两条大河叫什么名字？
4. 你知道哪些中国的大城市？
5. 中国的国庆节是哪一天？

一、填空　Fill in the blanks in Chinese

　　我这个暑假在中国内地旅行了一个月，我去了四川、＿＿＿＿＿、

＿＿＿＿＿、＿＿＿＿＿和＿＿＿＿＿。

二、翻译　Translation

1. China is located in the eastern part of Asia.

2. In most Chinese homes in the past, three generations of the same family lived under one roof.

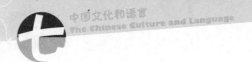
3. Beijing is the capital of China.

4. When I was young, my favorite festival was the Chinese New Year.

5. I like to see Chinese *kung fu* movies.

三、续写　Continuous writing

昨天，我梦见我回到了中国的明代

一、回答问题　**Answer the questions in English**

1. When and where will the workshop be held?

2. What is it about?

3. If you are interested in this workshop, what should you do?

二、回答问题　**Answer the questions in Chinese**

1. 中国电影展将在什么时候举行？

2. 中国电影展是为了庆祝中国的哪一个节日？

3. 中国电影展将会上映哪些电影？

4. 电影展还会有哪些活动？

5. 怎样查询报名方法？

LESSON 27

第二十七课 汉语

The Chinese Language

常用家词
Useful Words

1.	汉语	Hànyǔ	12.	语调	yǔdiào
2.	国语	guóyǔ	13.	语法	yǔfǎ
3.	华语	Huáyǔ	14.	笔画	bǐhuà
4.	中文	Zhōngwén	15.	记	jì
5.	普通话	pǔtōnghuà	16.	成语	chéngyǔ
6.	方言	fāngyán	17.	谜语	míyǔ
7.	听力	tīnglì	18.	听写	tīngxiě
8.	口语	kǒuyǔ	19.	生词	shēngcí
9.	阅读	yuèdú	20.	对话	duìhuà
10.	写作	xiězuò	21.	作文	zuòwén
11.	拼音	pīnyīn			

一、配对　Match the sentences on the left to the ones on the right

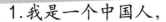

A	B
1. 我是一个中国人，	a. 学好汉语使我的学习更方便。
2. 我对中国文化很感兴趣，	b. 中文会帮助我了解这个古老的国家。
3. 在香港要想找到一份好工作，	c. 我想在她的生日会上为她唱中文歌。
4. 我想以后在中国上大学，	d. 所以一定要学会自己的语言。
5. 我对中文不感兴趣，	e. 法语是我的母语，所以我选中文。
6. 我喜欢李小龙的电影，	f. 会说汉语我就可以去中国学功夫。
7. 我的祖母是中国人，	g. 就一定要会中文。
8. 我的学校只开中文和法文两门外语课，	h. 但爸爸、妈妈一定要我学。

二、回答问题　Answer the questions in Chinese

　　美丽是德籍华裔，她的父母都是中国人。父母在家说中文，美丽能听懂他们说什么，可是自己不会说，也不会认汉字或写汉字。爸爸、妈妈要她去周末的中文班，可是美丽不同意，她说："我是德国人，为什么一定要学中文？"爸爸和妈妈的朋友都叫她"香蕉"——黄皮、白心。上个暑假她去中国旅行，一下子就爱上了这个国家。在北京，她见到了不少中国通，他们虽然金发、蓝眼，可是讲的中文和中国人一样好，大家都叫他们"鸡蛋"——白皮、黄心。美丽觉得不好意思，因为她的中文比他们差很多。

中国通　Zhōngguó tōng
an expert on China

149

1. 美丽是哪国人？

2. 中文的听、说、读、写，美丽只会哪一方面？

3. 美丽想去周末中文班吗？

4. 为什么美丽父母的朋友叫她"香蕉"？

5. 在北京，大家把什么人叫做"鸡蛋"？

三、完成对话　*Complete the dialogues*

记　者：＿＿＿＿＿＿＿＿＿＿＿＿＿＿＿？

格兰先生：我是1993年在北京工作的时候开始学汉语的。

记　者：＿＿＿＿＿＿＿＿＿＿＿＿＿＿＿？

格兰先生：我当时的工作需要我说汉语，而且在北京我认识了我的
太太，她当时不会讲英文。

记　者：＿＿＿＿＿＿＿＿＿＿＿＿＿＿＿？

格兰先生：我请了一个中文老师教我，一星期三次。

记　者：＿＿＿＿＿＿＿＿＿＿＿＿＿＿＿？

格兰先生：我觉得写汉字最难，所以一定要准备字典和字卡，经常
看看。

记　者：＿＿＿＿＿＿＿＿＿＿＿＿＿＿＿？

格兰先生：我认为学汉语最好的方法是一个人在中国旅行，你不得
不说汉语、认汉字。

四、判断正误　True or false

　　新世界汉语学校于 1997 年在伦敦成立，有中、小学生班，还有一些考试班，如：GCSE、A LEVEL、IB 和 HSK 等。学校里的老师都有多年对外汉语教学的经验，每个班的人数不超过十个。在教学中加入玩儿游戏、唱歌、看电影等活动，使学生在生动有趣的活动中学汉语。学校位于伦敦市中心，离地铁站仅有五分钟的路程。有兴趣者可与我们联系。

1. 新世界汉语学校刚刚成立。　□
2. 每个中文班有十个人左右。　□
3. 这里的老师都有丰富的教学经验。　□
4. 学校在伦敦市区。　□
5. 学校离地铁站很近。　□

五、配对　Match the words on the left to the definitions on the right

　　大山是加拿大人，曾被称为中国最有影响的外国人之一。他在中国的电视上讲着一口流利的中国话，说相声、演电视，是一个洋笑星。《人民日报》海外版说："大山虽然是外国人，但不是外人。"　大山高中毕业后在一家照相馆打工，认识了一位华裔朋友，向他学习广东话和中国文化，直到大学时才开始学普通话。1988年他在北京大学学习汉语，慢慢变成了中国通。现在大山一年中一半时间在加拿大、一半时间在中国。他希望通过他的工作让加拿大人更好地了解中国，同时也要让中国人更好地了解加拿大。

NOTES

影响　yǐngxiǎng　influence
流利　liúli　fluent
相声　xiàngsheng　crosstalk

A

B

	a. 做工（一般为兼职）
1. 影响	b. 对中国文化和语言很了解的人
2. 洋	c. 旅居在国外的中国人生的子女
3. 外人	d. 大河
4. 华裔	e. 中国以外的地方
5. 打工	f. 没有亲戚或朋友关系的人
6. 中国通	g. 对别人的思想或行动起作用
7. 海外	h. 打电脑游戏
	i. 外国的

六、回答问题　Answer the questions in English

《泰晤士报》（*The Times*）从2月8日至18日举办了"中国周"。在这几天时间里，每天在报头上加汉字。2月8日首先在报头上有一个"人"字，并告诉读者这个字是怎么来的，让不会中文的读者开始认识汉字。在9日的报头上写着："Will it 雪 or 雨 today？"让读者预测天气。《泰晤士报》在报纸内页增加普通话教程，还免费送课程光碟，希望提高读者学中文的兴趣。《泰晤士报》的发言人说："中文不但在英国，而且在全世界都越来越重要，学中文对你和你的家人都有用。"

NOTES

报头	bàotóu	masthead of a newspaper
读者	dúzhě	reader
预测	yùcè	to calculate; to forecast

1. Why was the week of 8th to 18th Feb. special to *The Times*?

2. What Chinese character could be seen on the first page of *The Times* on 8th Feb.?

3. What teaching materials were included in the newspaper during the week?

4. What Chinese characters could be seen on the first page on 9th Feb.?

5. What did the newspaper's spokesman say?

七、完成句子 *Complete the sentences*

成语故事：塞翁失马

从前，有一个老人住在边塞，他丢了一匹马。邻居们来看他，怕他伤心，但他却说："丢了马，并不一定是坏事。"没过几天，那匹马自己回来了，还带回一匹马。大家都为他高兴，他却说："又来了一匹马，不一定是好事。"果然，老人的儿子非常喜欢那匹新马。有一天，老人的儿子骑马的时候伤了腿。邻居们来看他儿子的时候，听到他说："腿

NOTES

塞	sài	stronghold of strategic importance
翁	wēng	old man
开战	kāizhàn	to declare war
兵	bīng	soldier
例句	lìjù	sample sentence

伤了，不一定是坏事。"大家都觉得这个老人太怪了。过了几天，国家对外开战，需要年青的男子当兵，老人的儿子因为腿伤而没有去。那些当兵的年青人后来都死了。"塞翁失马"这个故事告诉我们：坏事可以变成好事，好事也可以变成坏事。下面是一个例句：上次小明考试不及格，但是塞翁失马，他从那以后学习认真了，在最近的考试中得了第一名。

1. 李先生＿＿＿＿＿＿＿＿＿＿＿＿＿＿＿＿＿＿＿，但是塞翁失马，那架飞机失事，机上的乘客全都死了。

2. 小明的手机丢了，可是塞翁失马，＿＿＿＿＿＿＿＿＿＿

＿＿＿＿＿＿＿＿＿＿＿＿＿＿＿＿＿＿＿＿＿＿＿＿。

八、猜谜语　Chinese Riddle

1 打一动物

像熊不是熊，
叫猫不是猫。
一对黑眼圈，
竹子吃个饱。

2 打一动物

妈妈有腿没有尾，
儿子有尾没有腿。
儿子长大变了样，
没了尾巴长出腿。

3 打一动物

又有手来又有脚，
又会爬来又会走。
走时好像一个人，
爬时又像一条狗。

4 打一蔬菜

样子好像红苹果，
又酸又甜汁又多。
既能当蔬菜，
又可当水果。

5 打一人体部分

同胞兄弟三十多，
先生弟弟后生哥。
小事交给弟弟做，
大事来了找哥哥。

7
打一文体用品

有海有河没有水，
有城有镇没人住。
有路有道没有车，
有山有岭没有树。

6
打一人体部分

五个兄弟，
住在一起。
名字不同，
高矮不齐。

8
打一自然物

千条线，
万条线，
落到水里看不见。

9
打一水果

身穿绿衣服，
肚里水汪汪。
生的孩子多，
都是黑脸庞。

11
打一字

一个游水，
一个吃草。
加在一起，
味道真好。

10
打一交通工具

一间活动房，
有门又有窗。
走在路中间，
停在马路旁。

12
打一字

看着圆，
写着方。
冬天短，
夏天长。

13
打一字

一边绿，
一边红。
红的怕水，
绿的怕虫。

14
打一字

一边阴，
一边阳。
一边热，
一边冷。

（改编自《大家猜谜语》，黄寒冰，中国少年儿童出版社，1999年）

1. 你什么时候开始学汉语的？
2. 你为什么要学汉语？
3. 你觉得学汉语难吗？
4. 你学汉语时遇到过什么困难？
5. 你觉得汉语在听、说、读、写哪方面最难？
6. 你觉得怎样学中文最好？
7. 你看中文电视节目吗？
8. 你的中文老师是谁？
9. 你唱过中文歌吗？

一、翻译　Translation

1. When did you start learning Chinese?

_____

2. Glen is an American, but he speaks fluent Chinese.

_____

3. It is difficult to write Chinese characters.

_____

4. I talked to the local people in *putonghua* when I was in Beijing.

5. Miss Lin taught us a Chinese song during Chinese New Year.

二、读一读，写一写　Read the following text and describe your own experience

　　学中文，我觉得最难的是"说"。我怎么也分不清四声，"温、文、吻、问"，我读起来都一样。每次我的中国朋友都要我说"我问你"，而我总是说成"我吻你"，他们都会大笑。我后来花了一个月练习才说清。

吻　wěn　to kiss

四声　sìshēng　four tones in modern standard Chinese pronunciation

　　请写一写你学中文的经历。

三、写一写你学中文的经历，包括：
Describe your experience in Chinese learning. You should include:

你学了几年中文？

在中文课上，你一般做些什么？

你在家里是怎样复习中文的？

你觉得学中文最好的方法是什么？

四、续写　Continuous writing

今天，我给北京电视台打电话，我用中文说

听力
Listening

一、回答问题　**Answer the questions in English**

1. In which university did Jacques study Chinese this summer?

2. Where does Jacques come from?

3. What is a language partner?

4. What did Xiao Ming and Jacques do together?

二、多项选择　**Multiple choice**

1. 中国有很多方言，发音的差别_____。
　①很小　　②很大　　③较小　　④不大

2. 广东话是中国著名的_____，很难听懂。
　①语言　　②汉语　　③方言　　④普通话

3. 在中国大部分地方，人们都听得懂_____。
　①普通话　　②上海话　　③四川话　　④广东话

4. 北京话_____普通话。
　①就是　　②很像　　③来自　　④等于

图书在版编目（CIP）数据

汉语 A⁺. 下/陈琦编著. －北京：北京语言大学出版社，
2008.2（2014.8重印）
ISBN 978-7-5619-2014-5
Ⅰ.汉… Ⅱ.陈… Ⅲ.汉语－对外汉语教学－教材
Ⅳ. H195.4
中国版本图书馆 CIP 数据核字（2008）第 006677 号

书　　名：汉语 A⁺. 下
策　　划：苗　强
责任编辑：唐琪佳
装帧设计：北京颂雅风文化艺术中心　贾　英
责任印制：陈　辉

出版发行　北京语言大学出版社
社　　址：北京市海淀区学院路 15 号　邮政编码：100083
网　　址：www.blcup.com
电　　话：发行部　（86-10)82303650/3591/3651
　　　　　编辑部　（86-10)82303647
　　　　　读者服务部　（86-10)82303653
　　　　　网上订购电话　82303908
　　　　　客户服务信箱　service@blcup.com
印　　刷：北京画中画印刷有限公司
经　　销：全国新华书店

版　　次：2008 年 3 月第 1 版　2014 年 8 月第 4 次印刷
开　　本：889 毫米×1194 毫米　1/16　印张：习题集 10.5 答案册 3
字　　数：179 千字
书　　号：ISBN 978-7-5619-2014-5/H·08003
　　　　　04200